아이 키우듯

# 오늘을 키우는 시간

———— 이지영 지음 ————

프롤로그....4

수많은 역할과, 수많은 선택할 것들....10

하나의 문이 닫히면 또 다른 문이 열린다....15

지루한 오늘이 과거의 내 꿈이었구나!....23

새로운 경험에 나를 놓아두기....30

그냥 미지근한 사람....34

하기 싫고 귀찮은 일을 계속하는 것....37

나를 일으킬 사람은 '나' 밖에 없다....42

엄마라는 태양이 우울이라는 구름에 가려지지 않길....48

부정적 감정을 마주하고 긍정으로 채워넣기....53

비와 같은 스트레스에 흠뻑 젖어보면....57

야간산행처럼 앞이 보이지 않는 '도전'....61

괴롭지 않았던 오늘이라 행복했다....66

'나'라는 식물 키우기 매뉴얼....70

나쁜 일 뒤 좋은 일을 알게된다....76

일상은 아무리 귀찮아도 버릴 수 없는 여행 가방과 같다....79

나는 내가 아무것도 아니어도, 나를 사랑합니다....84

나도 SNS 속 나로 살고 싶다....88

요즘 어떤 유튜브 보세요?....94

오늘은 어떤 가면을 쓰고 있나요?....97

너와 나는 서로 다른 세계에 살고 있다....101

나는 나도 모르고 남도 모른다....105

누군가를 일으켜 세울 친절과 존중....109

선 넘는 사람들이 넘어설 수 없는 내 마음....113

나를 보호하기 위해 거리 두고, 때로는 끊어내기....117

품격있는 진짜어른....121

아이 키운 내공으로 무슨 일이든 더 잘해 낼 거야....125

같이 사는 친구, 남편....132

내가 일어설 수 있는 이유는 '가족의 믿음'....135

내가 물려받은 최고의 유산....139

당연한 것은 아무것도 없다....144

프롤로그 —————

초등학교 때 선생님께서 "웅변대회가 있는데 나갈 사람?" 하면 대책도 없이 손을 들어 엄마가 대본을 써주고, 산에 가서 고함지르며 연습했고, "높이뛰기 대회가 있는데?" 하면 아무도 손을 안 들기에 또 손을 들어 선생님을 괴롭게 했습니다. 주목받고 싶고 특별해지고 싶은 아이였습니다.

그런데 자라면서 내가 최고인 줄 알았던 세상에 끊임없이 좌절에 부딪힙니다.

결혼과 육아로 인한 경력 단절에,

20년은 될 것 같은…

끝이 없어 보이는 육아.

아이를 키우느라 나를 키울 여력은 없고, 내 존재가치는 '엄마'만 있는 듯해 나를 위한 모든 것에는 '망설임'이 따라붙게 됩니다.

하루하루 가족들 챙기기도 너무 바쁜 일상, 집안일이 밟혀 30분 책 읽기도 쉽지 않습니다.

학창 시절이 끝나고, 진급이 필요한 직장생활이 끝나면 나를 성장시킬 일은 더 이상 없은 지 오래고, 취미활동이나 봉사활동 등 의무감이 덜한 활동 정도로는 내 안의 뭔가 완전히 채워지지 않는 느낌에 계속 이렇게 살아도 되나 하는 막연한 불안감만 짙어집니다.

뭔가 시작해 보고 싶다는 생각으로 유튜브에 '부업'을 찾아보며, 쇼츠도 몇 개 만들어 보았다가, 블로그도 개설해서 글도 며칠 썼다가, AI로 그림도 그려봤다가…

온갖 걸 찔끔 찍어 먹어만 보고 계속 해 내지 못하곤, 나는 왜 이렇게 의지박약인가 싶어 우울해지기 일쑤입니다.

그렇게 마음에 응어리가…. 답답함이 쌓이고 쌓입니다.

그러던 중 '책 만드는 법 알려 드릴 게요. 한 달간 글쓰기 해봐요!' 라는 동네 카페 글을 보게 되었고, 가슴 뛰는 일이 절실한 저는 덥석 참여해 보겠다고 했어요. 아이를 위한 동화책을 만들어 볼까 생각했는데, 매일 주제별 글

쓰기를 참여하며, 내 속에 이렇게 하고 싶은 말이 많았나 싶어 매일매일 놀라는 중입니다.

라이터에 불을 켜기 위해선 부싯돌을 '딸깍' 하고 굴려 줘야 합니다.

망설임 끝에 딸깍하고 켜기를 마음먹기까지는, 부글부글 마음의 결핍과 나에 대한 불만과 생활에 대한 불만족이 최고조에 다다라야 합니다.

그리고 불이 붙고 나서는, 불을 계속 유지할 수 있게 어떻게든! 상황을 그리 만들어야 계속됨이 가능합니다. 학교 과제를 하듯 마감을 정하고 실천할 수 있는 쉬운 정도의 계획을 세우고 매일 해야 합니다.

끝이 어떨지 내일 어떻게 될지 누구도 알 수 없으므로 예측하지 말아야 계속할 수 있습니다.

돌아서면 일주일이 지나가 있고, 잠깐이면 한 달이 훌쩍 지나갑니다.

한달의 시간은 참 작다고 생각해 왔습니다. 카페에 올라온 그 한 줄이 기회가 되어 저에게 이런 많은 것들을 안겨줄지 몰랐습니다.

이렇게 글을 쓰면서 한 달이 참 길 수 있구나!

뭔가 극복하기에, 성장하기에 충분한 시간이구나 를 몸소 느꼈습니다.

시간의 힘을 알았고, 하루 10분이든, 하루 30분이든 시간을 쌓아서 또 다른 무엇도 해 낼 수 있을 거라는 확신이 들었습니다.

처음에 글을 쓸 때는 나의 답답한 상황과 내 우울함이나 그런 것들에 관해 쓰려고 했습니다.

지난 1년간 제가 거기 갇혀 있었으니까요. 그런데 그런 답답함을 글로 꺼내어 놓다 보니 어느새 그 마음이 해소되고 제가 서 있는 곳이 더 이상 거기가 아니게 되었습니다.

나를 일으켜 세우려고 쓴 글로 내가 채워지자, 비슷한 생각을 하는 다른 사람을 일으키고 싶은 글로 바뀌었습니다.

평범한 일상 속 스쳐 가는 많은 기회를
알아차릴 수 있는 눈을 가질 수 있길.

두려움에도 그냥 시도해보는
용기를 가질 수 있길.
불행을 만났을 때 '이만하길 다행이다.' 하며
감사와 행복을 바라볼 수 있길.
한없이 무너지더라도
나를 일으킬 사람은 나 뿐인 것을 잊지 않고,

새로운 내일을 맞이하길.
그리고 계속 걸어가길.

-이지영-

당신은 언제든지 다시 시작할 수 있다. -데미 로바토-

수많은 역할과, 수많은 선택할 것들

저녁 식사를 뭘 해 먹을까?

어떤 옷을 입고 나갈까?

선크림은 쓰던 브랜드를 살까? 홈쇼핑에 많이 주는 걸 도전해 볼까? 등 소소한 선택부터 엔화가 최저점인 것 같은데 적금을 깨서 엔화를 사 놓아야 하나?

맨날 돈 빌려 달라고 하는 고등학교 친구와는 인연을 끊을까?

돈을 더 벌면 좋겠는데 아이들 육아를 좀 내려놓고 8시부터 7시까지 일하는 직장으로 옮길까?

등의 고민이 많이 필요한 결정까지…

우리는 하루 종일 선택과 결정의 기로에 놓입니다.


처음 신혼살림을 차리며 가장 좋았던 것은 쓰레기통 하나, 숟가락, 컵 하나까지도 엄마의 취향이 아닌, 온전히 내가 선택할 수 있는 게 정말 정말 좋았어요.

그런데 결혼 10년 이상이 되는 지금은 아이들 교육만 해도 방과 후를 시킬까 학원을 보낼까?

방학 동안 집에 혼자 있는 시간이 많은데 스케줄을 어떻게 짜야 하지? 하며 엄마, 아내, 며느리, 딸… 수많은 역할과 선택이 제 몫이라 버거울 때도 참 많지요.

선택과 결정에는 늘 책임이 따르기 마련이니까요~

어렸을 때 어른이 된다는 것은 책임을 질 수 있다는 것이라 들어왔는데, 그 책임이라는 것의 무게를 알기에, 어른의 도전과 시도는 아이보다 훨씬 더 어려운 것 같습니다.

아이를 가르칠 때, 넘어져도 괜찮아. 할 수 있을 때까지 하면 돼! 라고 입버릇처럼 말합니다.

그러나 어른이 된 나에게 적용은 참 안 되는 것 같아요.

영어 공부를 디자인 공부를 경제 공부를 좀 해 두면 좋을 것 같은데 빨리 잘하고 싶은 마음만 앞서 시작도 못한 지 오래입니다.

하루하루 살아가느라, 당장 돈이 나오는 게 아닌데, 지금 이건 내 삶에 사치가 아닐까?

이제 와서 얼마나 해야… 뭐가 달라질까? 하며

엄마의 선택, 아내로서의 선택에 밀려 정작 '미래의 나'를 위한 선택과 결정에는 내어줄 여력이 없는 게 대부분의 엄마 모습입니다.


그러나 이제는 이것저것 살짝만 미뤄두고, 미래의 나를 돌보기 위해 지금 나를 써야 할 때입니다.

"그거한다고 뭐가 달라지겠어?"

하고 말하는 아이한테

그래도 해 봐야지. 해 보면 길이 열릴 거야.

뭐라도 될 거야.

아무 의미 없는 경험은 없단다.

한번 최선을 다해봐!! 하고 말할 테니까요~

인생은 Birth(탄생)와 Death(죽음) 사이의
Choice(선택)이다.
- 장 폴 사르트르 -

하나의 문이 닫히면 또 다른 문이 열린다

코로나 시절 누구나 겪어보지 못했던 상황들로 어려움이 있었습니다.

저는 그 시절 남편이 주는 생활비가 일정치 않아 불안감에 인터넷 쇼핑몰을 시작했어요. 처음에는 네ㅇ버에서 어린이 장난감류를 팔다가, 그게 판매가 잘되지 않자, 대형마트가 집 앞에 있어서 마트가 내 창고라 생각하고 100개, 200매 마트 상품을 올리고 판매가 되면 사와 배송까지 하는 구매대행 판매를 시작했습니다.

마트 상품들은 어느 정도 브랜딩이 된 제품이라 판매는 이전과는 비교도 안 되게 잘 팔렸어요. 가격경쟁이 심했지만 1,000원이 남아도 판매했었고, 세일 상품은 근거리 트ㅇㅇ는 다 가서 사재기 해 집안이 창고가 되고, 하루 100개 이상 택배도 혼자서 싸며 즐겁게 일했어요. 그러나 마진이 너무 작아 세금을 내면 구멍이 나는 상황이 되었고, 그 찰나 지인의 권유로 방문판매 화장품 제품을 접했는데 이걸 네ㅇ버, 쿠ㅇ은 내가 점유 할 거라 목표를 갖고 많은 광고비용과 마케팅비용을 들여가며 상위 노출에 애썼습니다.

한 제품이 2개 세트 구성으로만 나왔는데, 저도 쓰다 보니 꼭 하나씩 먼저 떨어지길래 세트 구성을 단품으로 나누고 각각 포장해 판매했더니, 진짜 10만 원가량의 제품이 눈 깜짝하면 판매되었고, 전국을 판매처로 일하니 혼자서 한 달 매출 3,000만 원 이상도 팔며, 통장에 1,000만 원 씩 찍히니, 다음을 준비할 생각조차 하지 않았습니다. 골프 치러 다니고, 매일 맛있는 거 먹으러 다니고 SNS에 과시하며, 그 생활이 계속되리라 생각했어요.

그런데 사람은 자기 그릇만큼 부를 담는다고 했던가요?

방문판매를 해야 할 제품을 온라인 판매를 해서 종종 경고를 받곤 했지만, 이리저리 지나갔는데, 3년쯤 되자 본사에서도 더 이상 눈감아 줄 수가 없었던지 이익을 더 얻기 위해 선택했던 대리점장은 방문판매법 위반에 걸리는 상황이 되었고, 물건을 아예 매입 할 수 없게 되었죠.

모. 든. 것. 이 끝….

유튜브 강의 '쇼핑몰로 월 1,000만 원 벌기'를 보고 시작된 월 1,000만 원 삶은 월 100만 원 삶으로 바로 곤두박질치고 말았습니다.

그쯤 남편이 하던 식당도 코로나 3년 마이너스 운영으로 연명해 왔기에, 헐값에 넘기고 장사 20년 세월 빚만 남기고 끝…

저도 폐업하며 물품 대금과 세금을 내고 나니 남는 것이 없었습니다.

더 나아가지 못했던 아쉬움은 물론 많지만, 시도하지 않았다면, 3년간 생활비가 충당되지 않았을 테고, 골프 치며 부유한 사람들과 고급 음식 먹으며 그 사람들은 어떤 생각을 하며 어떻게 사는지 들여다볼 기회도 없었을 것입니다.

그리고 화려해 보이는 SNS 속 사진 뒷면 그렇지 못한 상황들도 해 봤기에 보이는 것이 다가 아님을 알게 되었습니다.

허리띠를 졸라매야 했기에 차도 팔고, 45평의 집에서 24평으로 줄이고, 주말까지 알바하며 쓰리잡을 뛰고, 냉장고 파먹기를 위해 안 하던 요리도 늘었습니다.

나라는 사람이 특별한 사람이 아님을 깨닫고, 다시 처음부터 시작해 봐야지 하고 마음먹는 것은 큰 용기가 필요했습니다.

'직업에는 귀천이 없다.' 하지만 택배 아저씨, 청소부,

경비아저씨…. 같은 우리의 뒤에서 편의를 봐주시는 분의 일은 내가 하기엔 좀… 그런~ 일, 고생스러운 일, 돈 안 되는 일, 하찮은 일로 생각해 왔더라고요.

식당 2개를 운영하며, 주변 사람들에게 '건물 언제 올리냐?'라는 말을 듣던 남편은 야간 청소 일을 시작했고,

저는 매일 새벽 4시에 출근해 야쿠르트 배달일을 하고, 오후에는 미술학원에서 아이들은 가르치고 있습니다.

처음에는 나는 미대 나온 선생님인데, 야쿠르트 배달일을 하는 것이 정말 부끄러웠고, 과거 직장동료가 "지영 쌤 아니 세요?" 하고 묻는데 "아닌데요~" 하고 지나가기도 했어요.

비바람이 치는 날 냉장고 자동차 '코코'를 타고 배달을 갈 때면 내 삶이 너무 비참하게 느껴졌고, "아줌마! 시간이 몇 신데 아직도 안 갖다 줘 요!" 하며 하대하는 듯한 고객의 말투에 하루 종일 자괴감에 빠졌지요.

'60대 할머니도 하는 일인데 뭐~' 하며 쉽게 생각했었습니다. 그런데 품목이 많고 관리하는 고객이 많으니, 물건을 다른 집에 둬서 몇 번이고 찾으러 다니기 일쑤였고, 제품 출고 개수 실수도 너무 많이 해서, '내 머리가 모자라

네~' 하고 자책했습니다.

그런데 들어와서 보니 선배 배달원분들의 고객 영업, 동료를 대하는 것, 판매 및 배달노하우 등 세월과 나이의 노하우가 정말 많았고, 그 나이에도 고객을 앱 회원가입 시킬 정도로 똑똑하신 데다, 비가 오나 눈이 오나 새벽 일찍 일어나 일하는 성실의 끝판왕,

여러 가지 불편하고 힘든 상황에도 긍정적인 사람들이 오래 일을 하고 있구나 싶었어요.

용돈벌이 삼아, 해외여행 다니려고 아직 일을 하는 분, 엄마 고생하며 일하는 거 보며 자라 잘 자란 자식들.

모두 제 삶보다 더 낫네 싶더라고요.

나만 그랬던 게 아니라 모두 하나같이 빛나는 삶을 살았고, 지금도 빛나는 삶을 살아가고, 있다는걸 알게 되었습니다.

물론 1년이 넘은 지금도 수업하는 학부모를 만나기라도 할까 모자를 푹 눌러쓰고 다니긴 합니다.


부족한 것 없어 보이는 연예인들이 목숨을 끊는 것처럼, 모두가 내가 가진 것보다 부족한 것에 초점을 맞추고, 더 나은 상황을 꿈꾸기에, 자기 삶이 원하는 대로 다 되는 사

람은 없습니다.

내일은 늘 불확실하고, 당연히도 내 마음처럼 흘러가지 않을 것입니다.

실수할 것이고, 실패할 것이고, 좌절할 것입니다.

그렇지만 우리는 오늘을 살아가고 또 내일을 맞이합니다.

삶이란 다 그런 거니까요.

이왕 사는 내일, 어차피 실패할 거, 새로운 것 안 해보던 것도 해 보면 나의 다른 재능을 발견할지도 모르죠~

인터넷 사업도, 야쿠르트 배달일도 해보지 않았다면 몰랐을 소중한 제 자산입니다.

터널은 꼭 끝이 있고, 하나의 문이 닫히면 또 다른 문이 열립니다.

지루한 오늘이 과거의 내 꿈이었구나!

꿈이 뭐예요? 꿈을 가져야 해. 하는 말을 들으면 괜스레 반감이 생깁니다.

학창 시절에는 대단한 뭔가는 왠지 안 될 것 같고, 뭐라도 써야 할 것 같아서 '미술 선생님' 이라고 했었고, 어른이 되어서는 딱히 잘 모르겠는데 모르겠는 제 모습이 싫었습니다.

꿈이라 하면 아주 멋있어 보이는 환상의 것이라 평범한 내가 가지기엔 좀 허황한 것 같이 느껴집니다.

학창 시절 우리 부모님은 왜 이렇게 힘들게 돈을 버실까 싶어. '나는 커서 저렇게 힘들게 돈 벌지 않을 거야.' 하고 늘 생각 했었고, 진작에 나보다 훨씬 그림 잘 그리고 창의력도 대단한 친구들이 많음에 좌절했지만, 미술을 전공해 그림 그리는 사람이 되면 고생 안 하고, 부잣집에 시집가고 그러지 않을까 막연히 꿈꿨어요.

부모님도 아마 그러길 바라서서 어려운 형편에도 최대한 밀어주려고 하셨던 것 같아요.

20대 후반, 한 중학교에 미술 기간제 교사 면접보러 갔었는데 미술 수업을 어떻게 할 거라 잔뜩 준비 해간 제 게 교감 선생님은 '아이들 체벌할 수 있겠냐?', '컴퓨터 잘하냐?', '한자 수업 같이할 수 있겠냐?' 고 물어 환상이 와장창 깨졌고, 아차 나 고등학교 내내 학교에서 탈출하고 싶은 마음이었는데…… 학교 선생님이 되더라도 적응 못 하겠다 싶었죠.

얼마 전 오후알바 미술학원 아이들에게 '나의 미래 모습' 그리기 수업을 하는데 한 아이가 선생님처럼 미술 선생님 되고 싶어요. 하는 거예요.

하루 4시간 미술 선생님 알바. 물론 즐겁고 꽤 잘 맞는 일이지만 직업이라는 생각은 들지 않는데, 아이가 보기에 자신이 꿈꾸는 모습이라는 말에 마음이 찌릿했어요.

그러고 보니 결혼해서 가정적인 남자와 결혼하는 것, 남편과 아침햇살 맞으며 모닝커피를 마시는 거, 나를 똑 닮은 아이를 낳는 거, 된장찌개 끓여 가족과 즐거운 저녁 식사… 지금 내가 일상이 되어 특별하게 못 느끼는 이 일들이 내가 바랬던 꿈이었구나. 여전히 누군가는 제가 가진 평범한 일상을 꿈꾸고 있을 수 있겠구나. 싶었습니다.

나는 꿈을 이뤘구나…

대단해 보이는 꿈이 아니어도

'나는 나중에 그거 해 보고 싶어~' 하는 가벼운 바램이나 희망. '제주도에서 한달살이 해 보고 싶어', '날씬하게 나이 들고 싶어', '건강하게 나이 들어 세계여행 다니고 싶어.' '시니어 모델 멋져 보인다~' '엄마랑 공동화실 차려서 그림 그리면 좋지 않을까?'

정도의 가벼운 바램도 제주도에서 한 달 살기 하려면 얼마가 필요한데, 적금을 얼마나 씩 넣으면 돼, 헬스를 등록해서 5킬로만 빼볼까? 영어 공부를 시작할까? 언제쯤 화실을 차리지? 하며 구체화하고 목표를 명확히 하면 그게 바로 꿈이 됩니다.

미술을 처음 배울 때도 1달 동안 선 긋기만 연습했었고, 피아노를 배우는 것도 1년 정도는 매일 쳐야 몇 곡 연주할 수 있게 되어 재미가 생기고, 컴퓨터도 지겨운 타자 연습을 한참 해야 진짜 컴퓨터에 입문할 수 있고…

나중에 어떻게 될지 고민 말고 그냥 지루한 기본을 쌓는 시간이 계속되다 보면 어느 순간 재미가 생겨나고, 할 수 있는 것이 더 늘어나고 시간이 모이면 어느 순간 그 꿈에 도달해 있더라고요.

다른 사람이 뭔가 이룬 결과만 보면 의지가 대단한 사람이라 해 낸 거지 싶지만 그 사람들도 하기 싫은 마음과 하고 싶은 마음이 매일매일 싸우며 지나간 시간의 결과입니다.

무언가 이룬다는 것은 대단한 시간이 아닌 평범하고 소소한 하루하루가 쌓여 만들어진 결과입니다.

오늘의 어떤 시간에 가족을 위한 건강한 식탁을 계속 차리면 건강한 아이와 건강한 남편, 뛰어난 요리 실력이 남을 것이고. 매일 영어 공부를 쌓으면 몇 년 뒤 영어 공부를 잘하게 될 것이고, 매일 사람을 만나면 좋은 사람이 남고 사람 덕에 내가 나아갈 수 있는 방향이 생길 것이고, 이렇게 매일 글을 쓰면 내생에 첫 책이 남고, 해냈다는 생각에 나를 좀 더 좋아하게 될 것 같습니다.

여러분의 오늘에는 어떤 시간을 쌓아 보실래요??
그 시간이 꿈이 되고, 내 미래가 됩니다.

저는 피아노는 전혀 못 칩니다.

그런데 만약에 하루 여덟 시간씩 3달을 피아노를 치면,

그때 친구가 '너 피아노에 재능 있다.' 라고 말합니다.

하지만 10년을 넘게 피아노를 친 피아니스트가 보면

아마도 우수 울 수 있습니다.


바로 재능이 이런 것입니다.

재능은

우리가 무시해도 되는 수준입니다.


노력이

재능을 이깁니다.


대부분 이 말을 믿지 않기 때문에 노력하지 않아요.


하지만 기억하십시오.

노력이 재능을 이깁니다.


그 어느 상황에서도.

-전 국가대표 이영표-

새로운 경험에 나를 놓아두기

유년기와 성장기를 지나 어른의 몸과 마음을 갖추기까지 20년. 대학교 때는 사회 나가기 위한 연습 단계. 어른이 되어 내가 주도적으로 무언가 선택하며 산 게 불과 10년 좀 넘었네요.

결혼하며 경제적 정신적으로 독립을 하면서 비로소 진짜 내 삶을 시작한 것입니다. 30대는 아이 키우기에 바빴고, 40대는 진짜 어른으로써, 주도적으로 내 삶을 시작하기에 가장 좋을때가 아닐까 싶습니다.

늘 한국화 미술 전공한 내가 뭘 할 수 있을까? 내가 해왔던 것 그것에만 갇혀 다른 무언가를 시도하기는 겁이 났고 의심이 들었습니다.

그런데 쇼핑몰을 운영했을 때, 당장 물건이 안 팔려도 온라인에 내 가게를 만들고 그것을 내보이는 것이 너무 즐거워 밤에 잠을 안 자고 하게 되더라고요. 지금 글을 쓰는 것도 그때처럼 설레고 참 즐겁습니다. 아이들에게 다양한 경험이 중요한 것을 모두가 압니다. 그런데 30대, 40대가 되면 익숙하고 안정적인 삶을 벗어나 새로운시도를 하거나 다양한 경험을 한다는 게 참 어렵습니다. 제가 어려운 상황이 되어 아이스크림 가게 알바도 해보고, 인터넷쇼핑몰, 화장품 방문판매도, 유제품 배달도 해봤더니 아무엇도 하지 않으면 발견하지 못했을 즐거움과 재능도 발견하게 되었습니다. 나는 남 앞에 나서서 말하길 여전히 좋아하는구나, 영업은 진짜 못하는구나, 사람 상대는 나를 굉장히 소진되게 하는구나 등 나의 취약점도 분명히 알게 되었습니다.

블로그에 글쓰기나 몇 줄의 감사일기도 며칠 쓰고 계속하지 못했던 제가 이렇게 매일 글을 쓸 수 있을지 상상도 못 했습니다. 굉장히 고난과 역경을 겪은 삶도 아닌 것 같고, 특별한 것 없는 일상에서도 매일 뭔가 써야 하니, 비 오는 날씨 보며 추억도 떠올려 내 감정을 돌이켜보고, 지나치는 사람들도 관찰하고, 사소한 습관 따위도 내가 왜 그렇게 되었을까? 하고 생각하게 됩니다.

그리고 생각이 반짝 지나 가면 놓칠세라 메모장에 메모합니다. 그 메모 한 줄을 붙잡고 컴퓨터 앞에 앉으니 또 어찌 A4용지 1페이지가 채워집니다.

정말 신기합니다. 글쓰기를 통해 막연히 생각하고 흘려보냈던 생각들이 정리가 됩니다.

정리를 하니 나는 이런 생각을 하는 사람이었구나.

그래서 이런 사람이 되었구나. 하고 내가 명확히 들여다보입니다.

처음 글을 쓸 때는 현재 나의 답답한 상황만 보였는데 이제는 내 과거의 결과로 만들어진 현재가 보이고 미래의 나아갈 길도 보입니다.

막연히 내가 하고 싶은 일이 뭘 까? 하고 생각했고 또 하고 싶은 일이 딱 하고 나에게 떨어질 줄 알았나 봅니다. 한 번도 생각하지 못했던 글쓰기를 해 보니 이게 하고 싶은 일이 되었습니다.

해보지 않았다면 절대 몰랐을 일입니다.

내가 할 수 있을까? 내가 좋아하나? 돈을 많이 벌 수 있을까? 남 보기에 어떨까?

그런 고민 미뤄두고 지금 그냥 나를 새로운 상황에 놓아두길.

그냥 미지근한 사람

지나간 X 남자 친구는 저에게 뜨거운 키스를 안 한다고 말 했습니다. 어렸기에 키스 뒤의 진행에 대해 고민이 많아 그랬던 것 같아요. 친구 관계나 연인관계도 적당히 관계를 유지하며, 상대가 바빠지면 나도 그 관계에 목메기보다 그냥 내 할 일에 집중해 버렸습니다. 내 선택이었으면서도 '왜 나는 인간관계도, 일도 모두 두발을 풍덩 담그지 못하는 것 같지?' '내가 열정을 불태울 수 있는 일이 뭘까?' 나는 뜨거운 사람이 아니라 미지근한 사람인 가보다 하며 불만스러웠습니다.

그런데 지나고 보니 뜨거운 사람은 빨리 끓고 빨리 식었습니다. 급속도로 친해진 사람은 금방 관계가 끝나버렸고, 너무 좋아서 시작했던 일은 금방 고꾸라졌어요. 신혼 때도 남편이 바쁘면 서운했지만, 그냥 내 일을 더 벌여버리곤 하며 각자의 시간을 존중해 주는 게 결혼생활을 잘하고 있는 이유 중 하나인 것 같고, 특별히 재미있거나 잘하진 않지만, 아이들 먹이려 매일 하는 요리가 주부 5단 정도는 되게 만들었고, 혼자만의 시간에 더 집중하느라 관계에 많은 애를 쓰진 않지만 그래도 남아있는 오랜 친구들은 이런 저도 이해해 주네요.

김연아 선수에게 한 기자가 "스트레칭 할 때 무슨 생각을 하나요?" 하고 질문했더니 "무슨 생각을 해요. 그냥 하는 거지." 하고 답하더라고요.

지루하지만 목적을 따지지 않고 '그냥 하는' 그 꾸준함. 꾸준함이 계속되면 애정이 생기고 열정도 생기는 때가 있고 자신감도 생기고, 잘하게 되어 있습니다. 국가대표나 유명연예인도 어쩌면 아주 특별한 사람이 아니라 많은 어려움에도 그냥 그것을 계속 한 사람이 아닐까 합니다.

내 아이도 처음 태어났을 때부터 마냥 예쁘지만은 않았어요. 힘듦과 막막함이 더 컸는데 매일매일 모든 성장 과정이 쌓여 너무나 사랑하게 되었고, 남편과도 희로애락을 함께 겪으며 불타오르는 사랑은 아니지만 시간이 지날수록 더 단단하게 사랑하게 되었습니다.

습관이나 루틴의 힘. 많이들 강조하기에 머리로는 알고 있지만 실천하기가 쉽지는 않습니다.


그냥 계속 '보온' 모드로 그것이 식지 않도록 데우다 보면 좀 따뜻해 지기도, 좀 식기도 했다가 그래도 꺼지지만 않게 하면 어떻게 든 되어 있지 않을까요?

하기 싫고 귀찮은 일을 계속하는 것

아침 3시 50분에 알람이 울립니다. 오늘은 그래도 좀 덜 바쁜 날이라 10분 정도는 더 자도 되지 않을까? 하며 나에게 여지를 남겼더니 30분이 훌쩍 지났습니다.

아. 지각이다!

등산 약속이 잡혀 있는데 비가 올 것 같고, 주말이라 모처럼 좀 누워 뒹굴뒹굴하고 싶어 정말로 나가기가 싫습니다. 약속했는데 어쩌지. 그래도 약속을 어길 수 없어 나섰더니 비가 오기 시작합니다. 비 오는 등산이었지만 숲 냄새도 좋고 뻐근했던 허리도 부드러워지고, 그럼에도 했다는 게 숙제를 마친 것 같아 홀가분하고 좋습니다.

아이들 방학인데 바쁘고 체력이 안 따라 줘서 2주째 반찬 배달시켜 먹고, 김과 계란프라이만 매일 먹고, 라면도 자주 먹었습니다. 죄책감이 들어 일요일인 오늘은 마음먹고 요리를 좀 해야지 싶어 귀찮은데 이것저것 장을 봐와 잡채와 삼계탕, 오이소박이, 부추김치, 멸치볶음, 메추리알 장조림을 했습니다. 가득 찬 냉장고를 보니 다리가 아파도 뿌듯합니다. 늘 엄마표 음식으로 건강하게 키우고 싶은데...생각 하면서도 밥 하기 싫은 마음은 늘 함께합니다.

아침에 일어나기 싫고, 밥하기 싫고, 설거지하기 싫고, 일하러 가기 싫고.

너무 더운데 운동 내일 하지 뭐~ 글 쓰는 것도 하루쯤 건너뛰어도 되지 않을까? 이 정도 배달시켜 먹는 건 괜찮지 않을까? 당장 필요한 것도 아닌데, 컴퓨터 공부는 나중에 하지 뭐.

그렇게 우리 삶은 귀찮고, 하기 싫은 일투성이입니다.

그래서 나에게 약간의 여지를 남겨 버리면 나는 오늘도 내일도 그 일을 미루고 안 하게 됩니다.

해야 할 것 같다고 생각하는데 하지 않으면, 후회와 죄책감이 들고 '아~ 나는 왜 이러지' 하며 내가 싫어집니다.

한 번 뿐인 내 소중한 삶을 그런 마음으로 가득 채우면 나중에 너무 후회할 것 같습니다.

오늘 못 해 냈더라도. 우리에겐 새날이 밝으니 포기 말고 다시 시작해 볼 수 있습니다.

하기 싫은 일을 계속하는 것이 삶을 살아 가는 것이며, 결과가 보이지 않는 귀찮은 일을 계속하는 것이 내 꿈을 이룰 수 있는 일입니다.

　나중에 하고 싶은 일을 많이 하며 살고 싶기에 지금 하기 싫은 일을 기쁘게 맞이해 봅니다.

　그렇게 매일 '마음에 드는 나'로 가득 채워진 하루를 만들어 가고 싶습니다.

나를 일으킬 사람은 '나' 밖에 없다

아들이 요술 풍선으로 동물이나 꽃 등을 만드는 것을 좋아합니다.

처음에는 풍선 묶는 게 되지 않아 짜증에 짜증을 부렸고, 새로운 꽃을 만드는데 자꾸 터져서 풍선을 던지고 고함을 지릅니다.

그래도 몇 번 더 해보고 나면 성공하고, 뿌듯하고, 익숙해지고, 또 새로운 거 도전하고 짜증과 화가 나고 시도 끝에 성공하고 뿌듯하고 잘하게 되고 하며 반복됩니다.

걸음마 연습도 그랬고, 자전거 타기도 그랬고, 컴퓨터 타자 연습도 그랬고, 영어 공부도 그랬고, 요리하기도 그랬습니다.

실패와 좌절은 우리의 삶에 늘 있습니다. 작거나. 크거나…


주목받았던 초, 중학교를 지나 예술고등학교에 진학해서는 그림 잘 그리는 친구, 창의력이 뛰어난 친구, 잘사는 친구, 재밌는 친구들 속 매일매일 나의 모자람을 확인하는 시간이었고 무기력했고, 우울했고, 회피했고. 그래서 매일 엎드려 잠만 잤어요.

학교에서 공포영화를 보다 놀라서 무서운 거 싫다고 쭈

그려 앉아 통곡하며 운 적이 있는데 어쩌면 영화가 무서워서라기보다 그냥 울고 싶었던 것이었고, 숨이 자주 가빠 천식 흡입기를 사용했었는데 고등학교 이후 한 번도 그런 적이 없는 걸 보니 요즘 말하는 공황장애였던 것 같아요.

힘들게 돈 버는 부모님께 우겨서 예술고등학교에 간 건데 너무 죄송하고, 내가 너무 미웠고……부모님이 다투시기라도 하면 모든 게 내 탓인 것만 같아 높은 곳에서 뛰어내리고 싶은 생각도 들었습니다.


모든 것을 잃은 듯한 느낌이 들고, 쓸모없는 인간이 된 것 같고, 아무도 내 손을 잡아주지 않을 때.

가족이 응원해 주고 사랑으로 일으켜 주면 참 좋겠지만, 그게 전혀 와닿지 않고 도움이 되지 않을 때, 아니면 가장 가까운 가족이 나를 더 무너뜨릴 때.

어느 드라마의 한 장면처럼 10년, 20년 뒤 내가 지금의 나에게 와서

"힘들지…. 지나갈 거야. 괜찮으니깐 조금만 있으면 멋진 나날이 펼쳐 질 테니 걱정마!" 하며 어루만져 주고 손 잡아 주면 좋겠습니다.

사업에 실패해서 수십억의 빚을 져 노숙자로 전락하거나, 집에 불이 나서 한순간에 모든 것을 잃거나, 사고가 나서 장애를 얻게 되거나….

드라마나 영화에서 나오는 극단적인 고통과 좌절, 그것을 이겨내고 성공하는 삶은 짧은 시간 극적으로 보여야 하기에 그렇게 표현될 뿐입니다.

하지만 보통의 우리 삶은 그렇진 않습니다.

고등학생때의 고민도 결코 어른의 고민보다 작다고 할 수 없듯, 남의 큰 아픔보다 내 발의 티눈이 너무 고통스럽듯, 각자 상황에서의 고민과 고통은 모두 다 많이 어렵고 힘이 듭니다.


반복된 실패와 좌절에 모든 것을 잃은 듯한 나의 삶에도 분명히 남아있는 것이 있습니다.

일단 내 한 몸 누울 방 한 칸이 있고, 숨이 붙어 있고, 두 눈이 있고, 말을 할 수 있고, 두 다리가 있고, 100세 인생 속 젊음이 남아있고….

그럼에도 숨 쉬고, 움직이고, 걸을 수 있다면 다시 일어날 수 있음은 분명합니다.

자기계발서에 많이 나오는 '감사 일기 쓰기'도 같은 이유로, 나에게 남은 것과 감사한 일들을 계속 생각하면 많은 도움이 됩니다.

그냥 바깥으로 나가 뛰어 봅니다.

내 심장이 이렇게 뛰고 있구나. 내가 살아 있구나. 를 온전히 느끼면 두근두근 심장박동에 무기력과 우울감이 가까이 올 수 없습니다.

그리고 집으로 돌아와 정성스레 양치질하고 씻고, 설거지를 하고, 집 정리를 합니다.

양치를 잘했고, 집도 치웠고… 오늘 나가서 달리기도 했고….

아주 사소하지만, 작은 성취를 계속해 적립합니다.

작은 성취가 모이면 조금이나마 내가 좋아지고, 그러면 좀 더 큰 성취도 도전해 볼 용기가 생깁니다.

영화 속 불타오르는 열정이 아니더라도, 작은 불씨로 천천히 몸을 데웁니다.


내 삶에서 가장 암울했던 시절은 훗날 반드시 내 삶의 원동력이 될 것입니다.

가장 가진 게 없었던 어느 때에서 다시 시작한다고 생각하고 무거운 발걸음을 떼어 앞으로 나아갑니다.

나를 일으킬 사람은 '나' 밖에 없습니다.

우리의 하루하루는 그렇게 하루하루가 모여 과거보다 더 나아진 '나'가 있습니다.

엄마라는 태양이
우울이라는 구름에 가려지지 않길

"소진이 엄마 집에 갔었는데 말도 안 되게 엉망인 거 있지. 부끄럽지도 않나 봐. 그리고 아가씨 때 사진 봤더니 결혼 전에는 완전 몸도 지금 절반밖에 안 되고 연예인급 미모더라!"

그 말에 저는 "우울하신 거 아닐까요?" 하는 말이 나옵니다.

예전에는 뚱뚱한 사람, 정리를 안 하고 사는 사람, 잠을 많이 자는 사람을 보면 저 여자는 왜 저러지? 집에 있으면서 좀 치우고 살지. 하며 게으르다고 생각했습니다. 그런데 이제는 압니다. 그 여자가 마음이 아주 힘든 상태라는 것을요.

출산하고 아이를 키우다 보면 임신 후 늘어지고 뚱뚱해진 내 몸이 너무 싫고, 잠을 제대로 못 자 얼굴도 푸석하고 세상과 너무 멀어져 아이만 키우고 있는 것 같아 무기력하고, 남편이 벌어 다 주는 돈만 쓰고 있는 게 눈치 보이고, 남편은 퇴근하면 육아도 좀 도와주고 종일 시달린 내 마음도 좀 알아주면 좋겠는데 그는 그대로 지쳐 있어 나를 봐 줄 에너지는 없고……

그래서 집을 청소하거나 요리하거나 운동을 하거나 할 심적 여력이 전혀 없어 누워만 있게 되고, 스트레스를 먹는 걸로 풀며 악순환이 반복됩니다. 아기는 100일의 기적, 돌의 기적이 있을 줄 만 알았는데 그런 것 따위는 없었고 적응될 만하면 또 다른 변화와 성장에 아기도 저도 힘들었습니다.

연예인들은 어쩜 아이 낳고도 저렇게 날씬하고 요리도 잘하고 에너지가 많은 것 같은지……

그들은 아이 봐주는 사람 따로 있고, 집안일 해 주는 사람도 있고, 얼굴 몸매로 먹고사는 사람이니까. 경제적인 수준도 우리가 생각하는 그 이상일 테니 그냥 우리와는 딴 세상 사람들입니다. 그럼에도 비교하며 세상 모든 것에 불만만 가득. 패배자가 된 기분에 휩싸입니다.

매일매일 나에게는 24시간의 시간과 함께 에너지가 충전됩니다. 육아할 때는 아이에게 온 에너지를 다 쓰고, 우울할 때는 나를 미워하는 마음과 내 처지에 대한 불만, 남편에 대한 원망에 에너지를 모두 다 써버려서 다른 데 쓸 에너지가 없습니다. 매일 완전히 충전되어야 하는데 제대로 못 자고 못 먹으니, 절반도 충전되지 않아 겨우 하루를 살아 냅니다.

남편의 늘 하던 말투에도 내가 충전이 다 안 되었을 때는 크게 와 닿아 상처를 남기기도 하고, 같은 어려운 상황을 겪어도 내 마음에 따라 달리 타격감이 옵니다.

우리 가족의 일상이 무너지지 않길 바란다면 남편이 아내의 에너지가 충전될 수 있게 아내의 힘듦을 이해하고 적극적으로 도와줬으면 좋겠습니다.

그리고 딛고 서는 것은 온전히 나만 해 낼 수 있기에. 나 스스로 일어서기를 해야 합니다. 아기의 걸음마를 엄마가 대신해 줄 수 없듯이요.

엄마가 된 당신은 가정의 태양과 같습니다.

가끔 구름에 가릴 때도 있지만 언제나 그 자리에 존재하며 가족을 비추는 큰 힘입니다.

부정적 감정을 마주하고
긍정으로 채워넣기

어제 남편이 아이들과 함께 캠핑하러 가서 온전한 자유를 만끽하며 늘어진 일요일 아침. 일찍부터 아버지께 전화벨이 울립니다. "앞으로는 캠핑 가지 말라고 해라! 어젯밤에 한숨도 못 잤다!!"하시며 고래고래 고함을 지르십니다. 어젯밤 폭우가 밤새 왔는데 계곡에 캠핑간 사위와 손주가 걱정되어 한숨 못 자셨나 봅니다. 밤새 걱정은 산더미로 불어나서 참고 참다 터져 나온 것이겠지요. 학창 시절에도 10시만 되면 '어디고!' 하며 화내며 전화 오는 아버지 목소리에 가슴이 쿵쾅거렸고 지금도 왠지 모를 불편함에 눈을 마주치며 대화하기 편하지 않습니다. 그래도 이제는 화로 표현 되지만 그게 걱정하고 염려하는 것이구나 하고 알긴 압니다.

저도 하교길 엄마를 만나 반갑게 뛰어오는 아이에게 "차 오잖아! 하고 고함을 꽥 질렀고, 다치고 돌아오면 걱정보다 화가 먼저 나곤 하니까요.

왜 그럴 때 '걱정이 많이 된다.' '다치니까 엄마 마음이 아주 속상하다.' 하고 감정을 솔직하게 표현하지 못하는 걸까요? 어린 시절. 울면 '울지마!' '그거 가지고 왜 울어!' 했고, 외로움, 걱정, 속상함, 질투, 수치심, 죄책감, 불안 등 부정적인 감정은 감추고 참아 냈어야 하는 하루하루가 쌓여 어떻게 표현하고 해소해야 할지 몰랐던 아버지. 그 응어리는 마음속 폭탄이 되어 사소한 것도 '화'로 표현이 되었습니다.

어른의 몸속 덜 자란 아이는 여전히 불편한 감정들을 어떻게 처리하고 해소해야 하는지 잘 모르겠습니다.

오랜 시간이 지난 일을 기억해 보면 아~ 그때 좀 많이 슬펐는데. 아 그때 참 행복했었다 하며 자세한 상황보다 그 상황에 대한 느낌이나 감정만 남아 있습니다. 감정에 너무 매몰되지 말고 내 감정을 바라보고 '인정'하고 나면 상황을 해결할 여력이 생깁니다.

둘째 학교 선생님께서 화가 날 때 깊은숨을 10번 내쉬며 숫자를 세어 보라고 이야기하셨다고 합니다. 요즘은 아이의 감정을 많이 들어주고 공감해 주는 사회 분위기입니다.

대부분의 육아서에서 아이의 감정을 잘 다뤄주기 위해서는

1. 공감하고 이해해 주기
2. 감정을 조절하는 방법 알려주기 -심호흡하기, 산책하기
3. 긍정적인 경험을 제공해서 긍정적 감정을 느끼게 해주기

를 강조합니다.

자녀 양육 책을 읽으며 저는 내 마음속 아이를 잘 키우는 방법도 똑같을 거라 생각했습니다.

나의 부정적 감정을 알아차리고 솔직하게 표현하기. 심호흡하고 내 마음이 편해지고 좋아지는 법을 알기. 내가 좋아하는 것을 하며 긍정적 기분 느끼기.

감정을 조절하고 참는 것도 중요하지만 감정을 표현하는 것에도 적절한 방법이 있습니다. 다른 사람을 비난하거나 공격하지 않고, 자신의 감정을 잘 인식하고 솔직하게 표현하며 소통하는 것도 여러 번의 연습이 필요합니다.

아이를 가르칠 때 10번이고 100번이고 반복해서 가르쳐 줘야 합니다. 나도 잘되지 않지만 10번이고 100번이고 내 마음을 살펴보기를 마음먹습니다.

비와 같은 스트레스에 흠뻑 젖어보면

태권도에 다녀온 아이들이 쫄딱 젖어 왔습니다. 비를 맞으며 놀이터에서 실컷 놀았다고 합니다. 저도 중학교 때 손에 우산을 들고 쏟아지는 비를 맞았던 때가 생각이 났습니다.

비가 많이 올 때 옷이 젖지 않으려고 웅크리고 조심했지요. 우산을 써도 어차피 옷이 젖으니 '에라~ 모르겠다. 집에 가서 씻지 뭐'하며 우산을 그냥 접었습니다. 두둑 비는 온몸을 두드리며 순식간에 쫄딱 젖었지요. 쏟아지는 비를 맞을 때의 해방감은 지금도 잊혀 지지 않습니다.

미술치료 기법 중 '빗속의 사람(PITR: Person In The Rain) 그리기' 라는 스트레스 검사가 있습니다.

비의 양은 현재의 스트레스 지수를 나타내며 빗줄기의 양과 굵기, 먹구름, 번개 등도 스트레스를 나타냅니다. 비의 양이 너무 없다면 스트레스에 무딘 경우이고, 비의 양이 많다면 스트레스가 많은 상황. 우산의 유무와 사람의 표정 등으로 스트레스에 어떻게 대처하는지도 알 수 있습니다.

스트레스는 소나기처럼 갑작스럽게 찾아와 당황스럽게 만들고, 장맛비처럼 오래 지속 되 지치게 하며, 우울이라는 웅덩이에 빠지게도 합니다. 그러나 비는 꼭 필요합니다. 안 올 수도 없습니다.

우산을 쓰듯 스트레스에 대처하는 나만의 방법을 찾아내고, 그래도 안 되는 날엔 그냥 쫄딱 젖게 받아들여 봅니다. 찝찝한 데 얼른 가서 씻어야지 하는 생각이 드는 것처럼 오히려 쉽게 극복할 방법이 떠오를 수 있습니다.

고마운 비가 옵니다.

나무들은 흠뻑 젖어 자랍니다.

잊으려면 찾아오는 스트레스도 고맙게 맞이해 봅니다.

내일은 눈 부신 해가 뜰 테니까요.

야간산행처럼 앞이 보이지 않는 '도전'

남편과 왕복 한 시간 정도 코스로 뒷산을 자주 등산해요. 2년 전 큰맘 먹고 지리산 노고단에 가서 일출을 보겠다고 3시간을 넘게 운전해 전라도까지 갔어요. 주말에 놀러 다닐 때도 1시간 이상 거리는 거의 안 다닌 지라 등, 허리, 엉덩이 안 아픈 데가 없었습니다. 먼 길 갔는데 날씨는 또 잔뜩 찌푸려서 첫 새벽 산행을 해야 하나 말아야 하나 싶었지만 숙소 아저씨가 "운이 좋으면 구름 사이 쨍한 햇살을 만날 수 있어요. 사진사들은 오히려 이런 날 그런 장면 포착하러 오른다니까요." 는 말에 올라가기를 결심했죠. 깜깜한 새벽 성삼재 휴게소까지 차로 올라가는 길도 어찌나 안개가 자욱하던지……

주차장에서도 이정표도 보이지 않아 한참을 근처 사람들이 출발하기를 기다렸다가 따라 올라갔어요. 길이 잘되어 있다고 인터넷으로 확인했는데 칠흑 같은 어둠에 헤드 랜턴의 빛이 비치는 데만 보이는 상황. 보슬보슬 비는 계속 내리고, 랜턴에 나방은 어찌나 많이 몰려들던지요. 지리산에는 곰도 산다는데……남편은 군대 행군할 때 이런 어둠길을 걸은 적이 있었다며 괜찮아 보였지만, 저는 눈에 아무것도 보이지 않는 상황이 정말 많이 긴장되고 무서웠어요. 돌아 내려가는 길이나, 올라가는 길이나 깜깜

하고 막막하긴 매한가지라 그냥 올랐습니다.

사람들은 금세 우리와는 다른 길로 가 버렸고, 또 누군가를 만나도 서로 다른 페이스에 함께 갈 수는 없었지요.

빨리 해가 떴으면… 일찍 도착했으면 하는 마음으로, 미끄러운 길 잘못 디딜까 내 발끝에 온 신경을 집중하며 남편 발뒤꿈치 따라 걷고 또 걸었어요.

희미하게 밝아지며 드디어 노고단 도착. 두려움을 극복하고 힘들게 올랐는데 멋진 풍경은커녕 짙은 안개에 2미터 앞도 보이지 않아 표지석 앞 인증사진도 가까이 찍었네요. 그래도 첫 야간산행을. 첫 우중 산행을, 처음 지리산을 올랐다. 아주 무서웠는데 돌아가지 않고 해냈다는 성취감이 정말 컸습니다. 돌아오는 길은 올라올 때와 너무 다른 느낌이었어요. 평소 뒷산에선 보지 못했던 식물들과 야생화가 가득히 보이고 길도 잘 닦여 참 수월한 길이었습니다.

'두려움'과 '하고 싶은 열망'의 저울질은 계속되고, 두려움이 커지면 포기를. 열망이 더 크면 도전하게 됩니다.

도전은 야간산행과 마찬가지로 앞이 보이지 않는 길을 나아가는 것과 같습니다.

노고단에서 두렵고 하기 싫고 막막했지만, 가겠다는 마음을 먹고 내 발끝에 집중하며 계속 올랐을 때. 정상에서 아무것도 보지 못해도 해냈다는 기쁨이 너무 컸던 것처럼 꼭 성공이 아니어도 그 과정에서 배움이 있었고, 포기하지 않고 해낸 내가 좋아집니다.

오를 때는 사람을 거의 못 만났는데 산에서 내려오며 오르는 사람들을 많이 마주칩니다.

모두가 출발도 가는 길도 목적지도 다릅니다.

괴롭지 않았던 오늘이라 행복했다

엄마가 되면 아이들 문제, 양가 부모님 건강, 남편 직장 문제 등 챙기고 돌볼 사람이 많습니다. 내 에너지는 한계가 있기에 최소한으로 한다고 하는데도 과부하가 걸릴 때가 꽤 많습니다.

지친 하루 아이들이 잠들고 나면 그제야 내 시간이 생깁니다.

내가 이렇게 아이와 가족을 위해 희생하고 있으니, 남편이나 아이가 내 희생을 알아줬으면 하는 데, 아이는 어려서, 남편은 남편대로 지쳐서 그러기가 쉽지 않습니다. 그러면 맥주 한두 캔, 드라마 몰아보기, 인터넷쇼핑을 하며 나에게 이 정도는 해도 된다고 하며 위로 합니다.

그런데 그런 보상 심리로 가득한 마음 상태에서의 휴식은 스트레스가 해소되는 듯했지만, 나중에는 꼭 더 불행한 마음으로 돌아왔습니다.

늦은 밤 맥주와 야식은 뱃살을 늘어나게 해 속상해졌고, 새벽까지 몰아 본 드라마 후유증에 다음날 컨디션이 좋지 않아 아이들에게 더 화내고 소리 질렀으며, 옷장 속 디자인과 비슷한 옷을 또 쇼핑하곤 줄어든 통장잔고에 후회했습니다.

어른이 되었다는 것은 모든 일에 책임을 져야 하는 것. 모든 엄마가 하는 것인데 내가 왜 못해내겠어. 하며 스스로 위로해 보지만 쉽진 않습니다.

그래도 우울, 불안, 짜증, 슬픔, 그리고 행복, 만족감, 즐거움… 기분은 구름과 같아서 잠깐 마음에 머물렀다가 지나갑니다.

나는 어떤 때가 가장 편하지? (                    )

나는 누구랑 있을 때 가장 편하지? (                    )

무엇을 할 때 위안이 되지? (                    )

현상황에서 내가 바꿀 수 있는 것은 뭘까? (                    )

생각해 보고 나를 돌보는 시간을 하루에 몇 번, 일주일에 몇 번 꼭 가져야 내가 원하는 삶을 살 수 있습니다.

"괴롭지 않은 것이 행복이라면 이 세상 누구든지 행복할 수 있습니다. 그러나 즐거움이 행복이라 생각하기 때문에 쾌락에 빠지거나 필연적으로 괴로움이 뒤따라옵니다. 괴롭지 않고 행복 하려면 욕심과 고집을 좀 내려놓아야 합니다." 라고 하신 법륜스님 말씀을 되새겨 봅니다.

긍정적인 마음으로 모든 것이 내 마음처럼 되기를 바라는 욕심을 버리고 나를 돌보는 시간을 보내야겠습니다.

마음이 좀 힘들고 속상했지만, 괴로운 정도까지는 아니었습니다. 괴롭지 않은 하루였기에 오늘도 행복했습니다.

"기분이 우울하면 과거에 사는 것이고, 불안하면 미래에 사는 것이며, 마음이 평화롭다면 지금, 이 순간을 살고 있는 것이다."

-노자-

'나'라는 식물 키우기 매뉴얼

저는 식물을 잘 못 기릅니다. 아이들 학교에서 화분이라도 하나 가져오면 며칠은 신경 쓰다가 어느 순간 보면 말라 있기 일쑤입니다. 물, 햇빛, 온도 기본으로 알고 있지만 식물의 종류에 따라 물주는 주기도 달라, 물을 많이 주면, 뿌리가 썩고, 너무 적게 주면 잎이 마릅니다. 햇빛을 잘 봐야 하는 식물을 베란다 한편에 두면 잎이 노래져 시들고, 햇빛을 많이 보지 않아도 되는 실내식물도 통풍이 잘 안 되고 습도가 높은 장마철을 지나면 이끼가 가득 생기거나 벌레가 생겨 있기도 합니다. 식물을 잘 키우기 위해서는 식물의 특성을 잘 알고 식물이 좋아하는 환경으로 만들어 주고 매일매일 관심을 기울이고 살펴 줘야 합니다.

아이를 키우는 것도 아이의 눈을 마주치고 아이가 배가 고픈지, 기저귀가 젖었는지, 잠이 오는지 계속 살펴보고 발달단계에 따라 필요한 것들을 충족시켜 줘야 합니다. 아이를 잘 살펴보지 않고 내 기준으로 생각하면 아이가 등이 가렵다고 하는데 배를 긁어줘 버려서 아이는 여전히 불편합니다.

고등학교 때 밥 먹기 전부터 누구 자리에 가서 밥을 먹으면 좋을까 고민이 되었어요. 여자 친구 6명쯤 그룹으로 친했는데 저는 말을 재미있게 하는 편도 아니고 친구들에게 인기 있을 만한 사람이 아니었거든요. 누군가 '어서와~'하고 챙겨 주길 바랐지만 그러지 않을 때도 있었고, 그중 한 명과 약간의 트러블이 있기라도 하면 어색한 공기…모두 너무 불편했어요. 무리 중 가장 마음이 잘 맞는 친구는 남자 친구도 반에 있는 데다가 상냥하고 잘 웃고, 장난도 잘 치고 예뻐서 모두가 그 친구 자리에 몰려 들었지요. 밥 먹는데 뭐 그리 눈치 보고 고민할 게 많았던지. 주목받고 싶었지만 그러지 못했던 저는 학교생활이 모든 면에서 불편했어요. 그쯤부터였던 것 같아요.

혼자인 게 좋았던 게.

지금은 모두 스마트폰을 들여다보기에 혼자 밥 먹는 게 어색하지 않지만, 20년 전쯤은 혼자 밥 먹는 게 이상해 보였거든요. 그런데 저는 혼자 밥을 먹고 혼자 여행가고, 혼자 고기 구워 술 한잔하는 것도 어색한 사람과의 불편함이나 애써 상대를 맞춰야 하는 불편함보다는 남 보기에 좀 처량해 보인다 해도 그게 더 좋았던 것 같아요.

제 주장을 많이 하는 편히 아니었고, 남에게 피해 끼치는 게 싫었던 저는 늘 다른 사람에게 맞추는 편이었기에 그냥 나의 시간, 나의 속도, 나의 취향, 내 생각으로 가득한 혼자가 자유롭게 느껴졌어요.

결혼생활을 하니 더욱 혼자 있는 시간이 꼭 필요하더라고요. 물론 엄마의 몇 시간 자유시간은 목욕탕, 커피숍 정도 말곤 딱히 갈 데도 없지만 아기 신생아 때도 꼭 그런 짬을 주려고 했었습니다. 24시간 아이들 돌봄에 지친 나에게 혼자만의 시간은 내 생각과 감정을 아이나 남편에게 강요할 필요도 없고, 아이의 잠투정 및 오락가락 감정에 휘둘리지도 않는.

온전히 '나'로 있는 시간. 나에게 잘 대하는 시간.

아이 키우듯 나를 키우는 것도 마찬가지입니다. 매일매일 '나'를 살펴보고 마주해 나는 어떤 사람인지, 나는 뭐가 부족하다고 생각되고, 무엇이 필요한지. 식물에 볕을 쬐어주고 물을 주고 영양분을 주듯. 나에게 맞는 환경을 조성하고 관리해 줘야 합니다. '나'라는 식물 키우기 매뉴얼을 내가 잘 알고 있어야 합니다.

많은 것에 흔들리지 않으려면 내가 원하는 것을 알아야 하고, 그래야 내가 원하는 삶을 살 수 있습니다. 혼자 있는 시간, '나는 어떤 삶을 원하는가?' 끊임없이 고민해야 합니다. 그걸 모르면 모든 것이 불행해집니다.

그 시간이 있어야 나를 돌아보고 살피고 내가 나아가야

할 길이 보이고, 그렇게 충전해 가족에게도 더 잘할 에너지가 생깁니다. 그 시간의 소중함을 알기에 남편의 혼자만의 시간도 존중됩니다.

저는 아침에 아이들 학교 보내고 커피 한잔이 너무 좋습니다. 요즘은 오전에 두 시간 정도 글 쓰는 시간이 가슴 뛰는 시간입니다. 그리고 책이나 드라마 보며 반신욕 하는 것이 최고의 힐링입니다. 고단한 일주일은 주말 저녁 남편과 와인 한잔을 바라보며 버팁니다. 주말 가벼운 등산은 내 심장이 뛰고 있음을 느끼며 건강의 감사함을 확인합니다…여전히 하루하루는 해결해야 할 문제가 생겨나고, 오늘도 밥 뭐하지? 돌아서면 집은 엉망에 아이들의 다툼에 큰소리치기도 하고 고객의 항의에 속상하기도 하고, 언제쯤 경제적 상황이 더 나아질까 막막한 건 마찬가지입니다.

하지만 '나 매뉴얼'을 알고 있어서 마음이 부글부글할 때는 맞춤형 영양제를 줄 수 있습니다. 언제일지. 언제 폈다고 느낄지 알 수 없지만 오늘도 아직 피지 않은 꽃에 물을 줍니다.

나쁜 일 뒤 좋은 일을 알게 된다

20대 때 미술 갤러리에서 일을 했어요. 신진 작가를 발굴하는 전시를 2주에 한 번씩 교체했었고, 5년을 일하며 정말 많은 그림과 작가가 지나갔어요. 어렸지만 그렇게 많은 그림과 작가를 보면서 이 작가는 계속 작업을 할 사람이다, 이 그림은 팔리겠다. 이정도 작가 스펙에 이 크기 그림이면 얼마 정도 값을 매기면 되겠다고 하는 것이 어느 순간 애쓰지 않아도 감이 오더라고요.

옷도 그래요. 하체가 튼튼하고 상체가 빈약한 저는 바지보다 허리가 좀 잡힌 A라인 원피스를 입으면 날씬해 보이고 제 얼굴형에는 어떤 헤어스타일이 잘 어울리고, 제 피부에는 어떤 화장품이 잘 맞는지. 수많은 실패와 시도를 거쳐 30대쯤 되니까 알게 되었고, 취향도 명확해졌지요.

사람도 어떤 사람이 나와 잘 맞는 사람인지, 어떤 사람을 좀 피해야 하는지 사기도 배신도 당해 보면서 알게 되었고, MBTI 같은 성격유형검사 없이도 나는 어떨 때 편안함을 느끼고, 어떨 때 혼자만의 시간이 필요한지 알게 되었습니다.

시간의 중요성, 감사의 중요성, 꾸준함의 중요성 같은

너무 중요한 것들에 대해서는 여러 서부터 늘 들어 왔었기에 정말로 중요한지 몰랐어요. 그런 말은 누구나 하는 말인데 뭐. 누가 몰라서 못하나? 하곤 대수롭지 않게 여겨 왔던 것 같아요.

그런데 경제적으로나, 심리적으로 힘든 상황을 겪어 보니 일상의 소중함이나 가족의 소중함. 내가 가진 것의 소중함과 흔히 말하는 너무 중요한 것들에 대해서 더 명확하게 인지하고 살게 되었습니다.

수많은 나쁜 것을 경험하였기에 좋은 것을 알아차릴 수 있었습니다.

나쁜 일이 생기면 이것을 통해 나는 또 뭔가 배우겠구나. 또 좋은 것을 알게 되겠구나! 하고 생각해 봅니다.

경험은 최고의 스승이다.
다만 수업료가 지나치게 비싸다고 할까
-토머스 칼라일-

일상은 아무리 귀찮아도
버릴 수 없는 여행 가방과 같다

아이들 방학이 시작되었습니다. 엄마는 방학이 너무 싫습니다. 돌아서면 간식과 밥을 챙겨야 하고, 놀다 지루해져서 둘이 싸우기 시작하면 저는 화가 나 소리 지르곤 또 후회합니다. 보드게임도 같이 했다가 점심식사도 같이 준비해 보자 했다가 아이들과 할 것을 찾지만 아가 때처럼 종일 아이만 바라보고 있는 게 잘 안 됩니다.

커피도 좀 느긋하게 마시고 싶은데… 일하고 있을 때도 '엄마 형이~' 하며 전화를 해 댑니다. 방학 시작부터 개학이 기다려집니다.

시끌벅적 투닥투닥 밥 뭐해야 줘야 하는 고민. 내 시간은 언제 있지? 나는 어디 있지? 하며 답답함과 반복되는 일상이 지루하고 따분합니다.

전 세계가 코로나 공포에 떨고 매일매일 우리 동네 확진자를 체크하던 때, 아이들은 코로나에 돌아가며 걸렸었고, 당연히 가족도 모두 옮아 집에만 있는 생활이 시작되었습니다.

처음에는 음식을 삼키기 어렵고 몸이 열이 나니 뉴스 보도처럼 무서운 일이라도 날까 봐 걱정했고, 좀 호전되니 다 같이 좁은 집에 부대끼며 함께 있는 것과 매 끼니 밥 먹이는 게 힘들어 감옥이 따로 없다 싶었는데, 한 주가 지나고 살 만해지자, 집에 함께 있는 삶도 익숙해졌습니다.

작은 집으로 이사를 하고, 안 하던 일을 해 보고, 코로나 시대를 지나 급격하게 사회가 변화했고, 나이가 들어 체력이나 회복력이 예전 같지 않아도 또 그것에 맞춰 몸도 마음도 생활습관도 적응해 나갑니다.

적응하면 또 무료해지고 답답해집니다.

그런데 그 반복되는 일상의 지루함은 치과 치료를 시작하거나, 아이가 아프거나, 일거리가 없어 당장 수입이 줄거나, 집중호우로 집에 물이 새거나. 등 등의 이유로 언제든지 깨어질 수 있는 일상입니다.

아무 일 없는 평범한 일상에 늘 감사해야 함이 그 이유입니다.

내일이라도 일상이 깨지면 오늘이 그리워질 거니까요.

"일상은 위대하다. 삶이 하나의 긴 여행이라면,
일상은 아무리 귀찮아도 버릴 수 없는
여행 가방과 같은 것이다."

-미셸 투르니에-

나는 내가 아무것도 아니어도,
나를 사랑합니다

처음 만난 사람들이 모인 자리, 자리를 마련한 분이 소개합니다. "이 친구는 세무사야." "이 친구는 합창단 단장이야." 그리고 "이 친구는~" "처음 뵙겠습니다! 저는 38살 이지영입니다. 현재……그냥 동남아(동네 남아도는 아줌마)입니다. 하하" 멋지게 소개되는 다른 사람들 속에서 저는 참 별 볼 일 없는 사람 같습니다. 좀 어린 거 하나. 그건 언젠가 지나가 버릴 별거 아닌 것처럼 느껴집니다. 내가 돈이 많고 제대로 된 직장이나 직업이 있고, 멋있어 보여야 주변 사람들이 나를 인정해 줄 것 같은 생각이 듭니다. 반대로 저도 사람들을 그런 보이는 것들로 판단해 왔을 수도 있겠습니다.

내가 생각하기에 제일 잘 나갔던 시절. 멋있었던 때는 딱히 없었던 것 같습니다. 그럼에도 SNS에 화려하게 차려입고 멋진 데 간 것, 비싼 음식 먹은 사진. 화사하게 웃으며 사람들과 찍은 사진을 올립니다.

이제는 사진 어플이 없으면 사진을 못 찍겠어요. 매끈한 피부와 갸름한 어플 얼굴에 익숙해서 기본 카메라로 찍힌 내 진짜 얼굴이 더 어색하고 낯섭니다. 내 진짜 모습을 망각하게 되었습니다.

멋있어 보이는 것을 부각할 때 겉으로는 인정해 주는 것 같지만 뒤에서는 시샘이 더 많았고, 나를 이용해 먹을 사람들도 붙었습니다. 한없이 칭찬해 주고 저를 추켜세워 주던 사람에게 눈이 멀어 사기를 당하고 법정에 서 보기도 했었지요. 법원에 가니 얼마나 복잡한 문제로 와 있는 사람이 많은지… 몇천만 원 돈 문제는 정말 별것이 아니었습니다. 정말 많은 사람들이 갈등 상황, 억울한 상황, 해결될 것 같지 않은… 막막한 상황에 놓여 있구나!' 했습니다. 그간 제 나름대로는 아주 힘들었지만, 이 정도로 인생을 배운 너무 다행이었습니다.

내가 불행할 때 그들은 위로는 해 줬지만, 불똥이 튈까 봐, 부탁이라도 할까 싶어 거리 두었고, 나 자신도 낮아진 자존감에 만남은 당연히 뜸해집니다.

힘든 시기를 겪으면 남의 시선과 잣대에 자괴감이 빠지는 시기를 지나게 되기 마련이고 결국은 나 자신을 돌아보는 것으로 돌아옵니다.

어쩌면 그런 '잘나 보인다'의 기준은 남이 만든 것이 아니라 내가 만든 내 편견이었고 내 기준이었습니다. 나의 말하는 모습을 내가 볼 일은 없기에 어플 셀카 모습을 내 모습으로 착각하지만, 진짜인 이들은 대화할 때의 내 모습과 나의 표정과 마음을 봐 왔습니다. 좋을 때도 나쁠 때도 내가 뭔가 되어 있지 않아도, '너니까' 하고 말해주는 사람이 진짜 내 사람이 입니다.

아이가 공부를 잘해서 좋거나, 아이가 잘생겨서 좋거나 하는 것은 진짜 내가 아이를 사랑하는 이유가 아닙니다. 그냥 내 아이기에 존재만으로도 소중한, 이유 없는 사랑입니다.

그 사랑을 그 인정을 왜 자꾸 외부에서 찾으려 했는지……

나는 내가 아무것도 아니어도. 나를 사랑합니다.


"처음 뵙겠습니다! 저는 지혜지智 꽃봉오리영英

이지영입니다. 아직 피지 않은 꽃이지만

지혜롭게 잘 피워보려 하루하루 살아가고 있습니다."

하지만 뭐. 계속 꽃봉오리면 또 어떻습니까~

나도 SNS 속 나로 살고 싶다

부탄은 2011년 국민행복지수 1위의 나라였습니다. 그러나 2021년에는 95위로 크게 하락했습니다. 부탄도 성장하면서 도시와 농촌 간 격차가 커지며 생기는 농민들의 상대성 박탈감, 그리고 SNS 등의 매체를 통해 다른 나라의 풍요로움을 알게 되면서 상대적 빈곤을 느끼게 된 것입니다.

눈만 뜨면 SNS 속 해외여행 떠난 친구가 보이고, 드라마 속 재벌이, 최고급 아파트 사는 유튜버가 보입니다.

나는 월급 입금 전부터 나갈 때가 줄줄이 기다리고 있고, 오른 물가에 마트 가기가 겁나고, 웬만큼 시켜서는 4인 가족 배불리 먹을 수 없기에 배달 음식도 안 시켜 먹고, 미용실비 아끼려 아들 둘 머리도 직접 잘라주는 데……
내 자식에게도 저런 삶은 물려 줄 수 없을 것 같아 암울합니다.

비교 대상이 과거에는 잘난 엄마 친구 아들뿐이었는데, 이제는 전 세계의 부자들과 나를 비교하기에, 20대 청년들이 무력감에 집 밖으로 나오지 않는 것도 백번 이해가 됩니다.

왜 우리는 돈, 명예, 재산, 평판, 학벌, 인기 같은 외적 가치에만 더 집중하는 삶을 살게 되었을까요?

성공과 빠른 경제 성장, 경쟁적인 사회, 미디어 속 외적 가치를 중요하게 생각하는 분위기.

어른들은 너희가 뭐가 부족해서 우울증이 걸리고, 힘이 드느냐 하지만, 배부른 삶 뒷면 마음은 곪아 터집니다.

학교 다닐 때는 대학이 세상의 모든 것이었고, 졸업하면 취업이, 다음엔 결혼이, 출산이.

40대에는 안정적인 직장에 자기 집 있고, 얼마쯤 벌며 어떤 차 정도는 타고 있어야지~

60대에는 연금 받으면서 놀러 다니고 손주 태어나면 며느리한테 차 한 대 사 줘야지 등

누가 정한지 모를 기준에 한참이나 그에 못 미치는 나는 이 나이 되도록 나는 뭐했나…… 한심합니다.


프랑스 철학자 알랭 드 보통(Alain de Botton)은 '불안'이라는 책에서

'우리는 자신의 위치를 알기 위해 다른 사람들과 비교한다. 하지만 비교는 우리의 가장 밑바닥과 남의 가장 윗부분을 비교하는 것이다.'라고 말했습니다.

나만 아는 나의 가장 밑바닥은 감추고, 나의 가장 멋진 순간을 SNS에 올리고, 남 앞에서는 부족함 없는 듯 잘난 사람으로 포장합니다.

그런데 그건 나 말고 모두가 마찬가지입니다.

반짝거리는 별처럼 보이는 사람들이 속에는 먼지와 가스와 크랙이 다일 수도 있습니다.

대학 내내 '내가 좋아하는 것을 찾을 거야!' 하고 말했지만 40살이 다 된 지금도 '앞으로 무슨 일을 하며 살까?' 고민만 가득한데, 그 물음에 '돈', '명예' 같은 가치를 빼고 생각해 본다면 어떨까요?

나는 무엇을 할 때 만족스럽고 행복한지?

나는 어떤 가치를 중요하게 생각하는지?

돈 걱정이 없다면 뭘 하고 싶은지?

좀 더 빨리 나의 내면을 더 살피고 나는 어떤 사람인지 바라보는 시간이 있었다면 어땠을까요?

그 고민의 시간이 분명히 있어야 다른 사람에 휘둘리지 않고 내 길을 걸어갈 수 있습니다.

그런데 그 고민은 평이하게 하루하루 살아갈 때는 깊은

생각까지 못 미칩니다.

좀 힘들고 고통스럽고 어려운 시간을 겪어야 비로소 그 질문의 답을 명확히 알 수 있습니다.

> **가족, 감사, 기쁨, 행복, 재미와 즐거움, 호기심,**
> **성장, 유연함, 진실함, 신뢰, 성실, 봉사, 책임감,**
> **모험, 영향력, 사회적 공헌, 존중, 배려, 신앙, 정의,**
> **평판, 안전함, 경제적 독립, 일관성, 자립, 환경 등**

내가 현재 어떤 가치를 중요하게 생각하는지 동그라미 쳐 보고 왜 그런지 깊이 생각해 보면 그 외의 것은 미뤄두고 많은 고민 없이 나아갈 수 있습니다.

저는 현재는 '성장'을 가장 우위에 두고 있습니다.

그러면 아이들 밥 좀 덜 신경 쓰고, 빨래는 소파 위에 산더미 쌓아 놓고, 친구 안 만나고, 돈 좀 덜 벌더라도 지금 저를 일으키고 세우는 시간이 꼭 필요하기에 글을 씁니다.

저를 일으키고 나면 다음이 보이겠지요?

요즘 어떤 유튜브 보세요?

저는 책을 많이 읽는 편은 아닌데 마음이 답답하거나 힘이 들 때는 항상 책을 봤습니다.

아이가 너무 잠을 자주 깨서 어떻게 해야 할지 모를 때는 육아서를, 아이랑 뭐 하고 놀까 싶을 땐 엄마표 놀이, 발도르프 교육 책을, 아이에게 자꾸만 화를 내게 될 때는 심리 책을 보았고, 무기력하거나 어떻게 살아야 할지 모를 때는 자기계발서를, 삶에서 도망치고 싶을 때는 소설책을 빌려봤습니다. 인터넷 카페나 블로그의 정보 홍수 속에서는 무엇을 받아들여야 할지 선별이 안 되었는데 책은 그래도 전문가가 자신의 것을 최대한 끄집어내어 쓴 거라 훨씬 믿음이 갔습니다.

'먹는 것이 그 사람이다.'라는 말이 있습니다. 식습관이 그 사람의 건강, 체형, 성격, 삶을 결정한다는 의미입니다. 요즘은 '어떤 유튜브 주로 보세요?' 하고 물으면 그 사람의 현재 관심사를 알 수 있습니다.

어떤 때는 요리 유튜브를 한참 찾아보다가, 어떤 때는 아들이랑 대화하는 법 같은 유튜브를 봅니다. 법륜 스님 말씀도 듣고, 자기 계발 유튜브도 한창 들을 때도 있습니다.

어찌나 똑똑한 지 알고리즘은 제가 원하는 것을 착착 눈에 띄게 해 줍니다.

메모해 두거나 하며 새기지 않았는데도 이렇게 글을 쓰다 보니 그 모든 것이 내 속에 저장이 되어 있는 것 같습니다.

어디선가 보거나 들었던 이야기였던 것 같은데 또 그게 내 경험과 합쳐지며 제 이야기가 되고 있습니다. 그렇게 생각하니 내가 무엇을 보는지가 나를 만들고 나의 미래를 만들어 가고 있음을 느낍니다.

중국 직구 사이트에 들어가 엄청나게 다양한 물건을 보며 2시간 동안 장바구니를 채우고만 있기를 멈추고, 스트레스를 푼다는 핑계로 다른 사람 맛있는 거 먹는 장면이나 대리만족으로 근육 가득 예쁜 사람 운동 하는 거, 해외여행 유튜브 구경하며 너무 오랜 시간을 보내지 말아야겠다 싶습니다.

오늘은 어떤 가면을 쓰고 있나요?

예전부터 과음하면 가끔 필름이 끊기곤 했어요. 중간중간. 10분. 20분. "엄청 수다 떤 것 같은데 무슨 말을 했었지? 부터 뭐? 그렇게 춤을 췄다고?" 하며 끊기곤 했는데 작년쯤 남편과 남편 지인과 자리에서의 3차에 갔다는 것도 통으로 생각이 안 났고, 일행이 가곤 퍽 하고 넘어져서 이마에 혹이 나고, 완전히 거칠어져서 남편을 때리기도 했다고 해요. 정말 기억이 없어서…… 내 속에 그런 면이 있었나? 너무 무서운 생각이 들었어요. 남편은 정말 고맙게도 "진짜 당황스러웠는데…. 지영씨 마음속에 응어리진 게 많았나 봐요." 하곤 별말을 안 했어요. '진짜 그런 마음이 있는 게 아닌 것 같은데……'

능력 있는 사람 좋은 사람으로 보이고 싶고, 슈퍼 엄마로 보이고 싶고, 또는 나의 슬픔을 감추기 위해서 나를 과대하게 포장하기도 합니다. 4살~5살 아이도 어린이집에서의 모습과 집에서의 모습이 다를 때가 있는 걸 보면 인간관계를 맺고 사회생활을 한다는 것은 모두 가면을 쓰는 것인가 싶습니다.

나를 감추는 것이 아니라 감정과 기분을 다 들어내지 않고, 다른 사람과 관계를 잘 유지하기 위해서. 써야 하는 것.

그것을 두껍게 쓰는지 얇게 쓰는지의 차이일 뿐입니다.

가면이 너무 두껍게 살다 보면 내 자신을 잃고 어느 순간 다른 곳이 구멍이나 터져버릴 수 있습니다. 그래서 나 스스로에게 솔직해지는 시간이 있어야 내게 맞는 적절한 가면을 쓸 수 있습니다.

내가 이상적으로 생각하는 가면 쓴 모습이 진짜 내 속의 것이 되었으면 좋겠습니다.

혼자 있다고 생각되나, 과음하거나, 내가 완전 갑이 되는 상황에서 내 민낯이 드러날 때도 너무 당황하지 않게요.

당신은 오늘 어떤 가면을 쓰고 계신 가요?

너와 나는 서로 다른 세계에 살고 있다

한 뱃속에서 나온 두 아들이지만 어쩜 성격이 달라도 너무 다릅니다. 아이들 등교 시간은 8시 40분까지인데 매일 아침 첫째는 8시 10분만 되어도 자기 늦었다고 동동거리다 8시 20분이면 울먹거리며 집을 나섭니다. 둘째는 너무 거북이 성격이라 8시 20분에도 뒹굴뒹굴하며 블록 놀이를 하고 있습니다. 저는 첫째한테는 '괜찮아! 안 늦었어! 천천히 가~' 천천히 말하고, 둘째에게는 '빨리빨리 서둘러' 하며 재촉하는데, 둘째는 8시 30분에 신발을 신었다가도 응가 마렵다며 화장실에 앉아 있기 일쑤입니다. 그러면서 둘째는 형처럼 서두르면 넘어지거나 사고가 날 수 있는데 자기는 지각해서 뒤에 좀 서 있는 정도라 서두르는 것보다 천천히 가는 게 더 낫다고 주장합니다. 그런데 종종걸음의 첫째보다 어째 둘째가 더 잘 넘어지고 다리에 흉터가 많은지 의문입니다.

신혼 초 남편은 식당 일을 마치고 집에 오면 4시쯤 되었고 바로 잠자기 아까워 오전 6시나 잠을 잤어요. 꼭 일이 아니어도 원래 올빼미형 남편이었고, 모태 아침형 저는 6시에 일어났지요. 서로 잘 때 나가고 잘 때 들어오는 자취하는 듯한 신혼 생활이었어요. 그때부터였던 것 같아요.

'남을 변화시키는 것보다 나를 변화시키는 게 더 빠르다.'라는 생각을 가진 게.

16시간 간헐적 단식, 아이들 있을 때 유튜브 안보기 등 나를 변화시키고 싶은 좋은 습관 같은 거. 해내고 싶은 건 많은데 나 하나 변화시키는 것도 정말 힘들잖아요. 내가 지키고자 하는 것들 절약이나, 근면함이나 그런 것들을 다른 사람도 그랬으면 하는 마음을 가지면 모든 것이 불만이 됩니다.

그래서 저는 남을 변하게 하는 것에는 큰 기대를 안 하는 것 같아요.

그게 남편과 2년 반 연애, 11년 결혼 생활 동안 한 번도 안 싸운 이유 중 하나인 것 같습니다.

상대에게 저를 맞췄다기보다는 불만이 생겼을 때도 '어휴~ 내가 마음을 달리 먹는 게 낫지, 뭐~' 하고 바꿀 수 없다고 생각하며 남편은 그런 사람인데 어쩌겠어. 하고 인정해 버리니 내 마음도 편하고 그도 저의 못난 모습을 인정해 주었습니다.

그러니 첫째 아들 성격의 저도, 둘째 아들 성격의 남편도 같이 살다 보니 서로 닮아가며 평화롭게 가정생활이 유지됩니다. 카드 한 장 뒤집듯이 나의 마음만 뒤집으면 모든 것에 너그러워집니다.

　당신과 나 모두 이렇게 된 데는 이유가 있을 것이다.


　그것 그대로 인정한다.

　그것이 바로 존중의 첫 단추입니다.


"우리는 서로 다른 세계에서 살고 있다."

– 생텍쥐페리–

나는 나도 모르고 남도 모른다

수학 문제를 풀다 보면 살짝 이해하지 못하고 적당하게 넘어가는 일이 있습니다. 이해했다고 생각하지만 실제로 알지 못했고 그것이 쌓이고 쌓여 수포자가 되었지요.

남편이 식당을 운영하면서 매일 피가 마르는 상황을 겪었을 때, 손님이 없어도 나가는 고정지출과 직원월급의 압박. 생활비를 제대로 못 줘 가장으로서 역할을 못 하고 있다는 생각에 스트레스가 극심했을 때, 이해하고 위로했지만 저는 잘 벌고 잘 쓰고 다녔기에 남편이 그렇게까지 벼랑 끝에 있는지 잘 몰랐습니다.

아이가 학교 다녀오면 자꾸 짜증을 부리고 학교 가기 싫어할 때, 저는 어떻게 든 빨리 적응하길 바랐고, 제 아이를 아주 잘 안다고 생각했기에 선생님과의 어려움, 친구와의 어려움 속에 얼마나 견뎌내고 애쓰고 있는지 잘 몰랐습니다.

친구를 만날 때 친구의 화려한 일부분만 보고, 남편 잘 만나 그렇구나. 편하게 사네! 하며 제 식대로 이해했고, 친구의 뒤에 얼마나 많은 답답함과 얼마나 많은 일과 생각, 사람들이 있는지 잘 몰랐습니다. 가족이나 가까운 사람일수록 더 그 사람을 안다고 생각하고 내 식으로 이해해 버려, 아는 것 같았지만 몰랐던 수학 문제처럼 미해결 과제가 남았습니다.

"그래서 어땠어? 어떤 생각이 들었어?" 안다고 생각 말고 물어 봐야겠습니다.

나도 하루에도 오만가지 생각이 오가고 상황이 달라지고 같은 상황도 때에 따라 다르게 행동하기도 하고, 안 해보던 일을 하며 나의 새로운 면을 발견하기도 합니다. 나도 나를 잘 모르겠는데 남은 절대 나를 모르며, 나도 남을 절대 다 알지 못합니다. 그래서 내가 안다고 생각하는 것에 늘 물음을 던져 봐야 할 것 같습니다.

자신이 무엇을 알고 무엇을 모르는지 아는 '메타인지'가 중요한 세상입니다.

다른 사람을 안다고 판단 말고 내 자신을 아는 것에 더 집중하는 게 더 필요합니다.

누군가를 일으켜 세울 친절과 존중

노래하는 듯한 목소리로 다른 사람의 장점을 너무 잘 찾아내 칭찬하는 환희 엄마는 주변에 사람이 늘 많습니다. 어쩜 그렇게 내가 모르는 내 장점도 찾아 칭찬해 주고 반응해 주는지, 다른데 선 제 이야기를 잘하는 편이 아닌데 환희 엄마와 대화했다 하면 학창 시절 나 잘났던 이야기에 연애사까지 줄줄 줄 말하게 됩니다.

저는 '저 사람은 정말 분위기를 밝게 만들어 줘서 좋네.', '어 머리 스타일 바꾸니 훨씬 젊어 보이네~' 등의 생각도 어떻게 말해야 하나 고민하다가 타이밍을 놓치기 일쑤인데, 환희 엄마의 말을 녹음이라도 해서 외우면 어떨까 싶습니다.

상대방의 말이나 상황에 충분히 공감해야 그런 반응과 말이 나오고 다음 질문도 나오게 됩니다.


미술학원 아이들이 '선생님은 정말 친절한 것 같아요.'라는 말을 종종 합니다. 특별히 친절하게 대한 것 같지도 않은 데 왜 그렇게 생각할까 하니 제가 아이들에게 대체로 존댓말을 쓰고 있기 때문인 것 같았습니다. 학교나 유치원에서도 선생님께서 수업 진행을 할 때 존대할 텐데 아이들은 왜 제가 특별히 친절하게 느껴졌을까요?

말의 뉘앙스와 어투, 표정 모두가 아이들을 존중하는 것처럼 느껴졌기에 그랬을 것 같습니다.

친절은 타인에 대한 관심과 공감, 배려가 있어야 나올 수 있는 행동입니다.

경비아저씨의 힘듦과 수고로움을 내 아버지인 듯 생각하면 인사 한마디도 그냥 '수고 많으십니다.'에서 끝나지 않고 '날씨가 너무 더워 어떡해요?' 하며 얼음 넣은 커피를 타 내밀게 됩니다. 길 잃은 할머니의 불안감을 이해하고 목적지까지 길을 안내해 줄 수도 있습니다. 비 오는 날 비 맞으며 짐을 내리는 내게 우산을 씌워 주신 고마운 분도 있었지요.

휴대전화에 '감사703호'로 저장해 둔 고객분은 "지영씨~통화 괜찮아요? 쉴 텐데 늦은 시간에 전화해 미안해요" 하곤 저를 배려해 주시는데, 배달하러 가면 "들어와요" 하며 기력에 좋다며 홍삼 즙을 내주시고, 사탕이며 고로 쇳물이며 가져가라고 챙겨 주십니다. 한번은 "올 때마다 소품들이 하나하나 너무 멋져요~" 했더니 "지영씨가 그렇다면 그렇겠지요."라고 말씀하시는데 정말 괜스레 눈물이 울컥했습니다. 야쿠르트 아줌마의 미적 감각을 치켜세우다니요!! '사실은 제가 이래 봬도 한국화 전공자거든 요~ 전공자 눈으로 봐도 정말 멋진 소품과 인테리어예요!!!' 하고 마음속에서 외칩니다. 안 그래도 이런 내 모습이 싫은데 무시하는 말투, 하대하는 듯한 태도에 나도 나 스스로 그걸 인정해 버리고 나를 낮춰 생각할 때 '감사703호' 님의 그 말 뒤에는 지영씨는 괜찮은 사람이에요. 지영씨는 이 힘든 시기 지나 잘될 거예요. 하는 말이 있었습니다.

나 스스로 굳건해져야지 백번을 되 뇌어도 차가운 말에 상처받아 휘둘리고, 따뜻한 말에 어루만져지곤 하며 여전히 다른 사람에게 영향 받는 나입니다.

관심가지고 배려하며 따뜻하게 건네는 말과 '친절'은 무너져 내리고 있는 식당 아줌마를, 배달 기사님을, 남편을, 아이를 일으켜 세워주는 한마디가 될 수 있습니다.

'감사703호' 님의 말이 저에게 그랬듯이요.

선 넘는 사람들이
넘어설 수 없는 내 마음

하루 종일 두 형제는 잘 놀다가 싸우다 가를 반복합니다.

"엄마~ 형아가 나보고 바보 김똥깨 라고 자꾸 불러~"

"태완아 너한테 누가 이 뚱뚱보 할머니야! 하고 놀리면 너는 기분이 어떨까? 너는 아니니깐 '쟤 뭐라는 거야~' 해버리겠지? 그것처럼 니가 바보 김똥깨 임을 인정하지 않으면 그건 너를 놀리는 것이 될 수 없어. 그러니 속상하고 상처받을 이유가 전혀 없어." 하고 말했습니다.

그 말 이후로 대체로는 그러지들 말던 지. 하고 무시하더라고요. 물론 기분 안 좋을 때는 싸우고~ 또 엄마~ 하고 달려올 때도 있지 만요.

어른이 되어도 그런 상황이 존재합니다.

외동이면 너무 외롭다. 더 늦기전에 둘째 낳아! 젊은데 왜 그런 일을 하니? 하고 참견하는 어른들.

가까워지고 싶다는 핑계로 월급이나 한 달 생활비를 물어보거나, 농사 지은 쌀이라며 받고 싶지 않았던 큰 선물을 들이밀고는 부담감을 주거나 도움을 청하지도 않았는데 도와주고는 대가를 바라거나. 관계의 정도에 따라 선이 달리 그어지기 마련인데 선을 조심스레 확인하지도 않고 훅! 그런 '선 넘는 사람들'은 그걸 통해서 자신의 이

득을 취하려 하거나 약점을 잡거나. 자기가 더 우위에 있다는 것을 확인하려 했던 것 같습니다.

마음 약하고 남에게 신세 지는 게 너무 불편한 저는 늘 이리저리 흔들리고 '내 입이 문제다.' 하며 후회하고 상처받곤 했지요. 나이가 들어 좋은 점 중 하나가 그런 것에 덜 흔들리게 된다는 거예요. 내가 필요해서 주도적으로 선택하지 않은 것에는 늘 후회가 따랐기에 한 달에 2만 원도 여유 없냐는 보험 하는 고객에게도 흔들리지 않고 거절할 수 있게 되었네요.

내가 자존감이 낮을 때나 힘들 때 그런 사람을 만나면 또 흔들리고 깨어질 지 모르지만, 그 순간 잠깐 기분 나쁘고 불편해도 뭐 '쟤 뭐라는 거야~ 선 넘네!' 하며 상처받지 않고 넘길 수 있는 힘이 생겼습니다. 마음에 방탄조끼를 입어 총알은 모두 튕겨 나갈 뿐입니다.


다른 사람이 나에게 상처 주게 허용하지 않습니다.

나를 보호하기 위해 거리 두고,
때로는 끊어내기

초등학교 때 새 학기의 새 친구들의 어색함이 싫어서 반 모든 친구에게 이름을 물어보며 나랑 맞는 친구 파악하려 여기저기 돌아다닌 적이 있었는데, 그렇게 돌아다니는 사이 이미 친구들이 짝이 지어졌더라고요.

아들에게 친구들과 사이좋게 지내라고 말하지만, 반의 모든 아이와 친하고 사이좋을 수는 없습니다. 모두 다 다른데 나와 안 맞는 친구가 더 많은 게 당연하지요. 서로 선을 넘지 않는 선에서 지내고, 마음 맞는 친구 한 명만 있어도 충분합니다.

아이가 예전에는 친했던 친구가 있는데 요즘은 어쩐지 그 친구가 말투도 마음에 안 들고 여러 가지로 같이 놀기가 불편하다고 합니다. 그 친구는 자주 우리 집에 오는 걸 보면 아직 그 친구는 우리 아이와 노는 게 좋은가 봅니다.

그래도 아들에게 네가 마음이 자꾸 불편해지면 친구에게 '오늘은 엄마랑 어디 가기로 해서 못 놀 것 같아.'하며 선의의 거짓말을 하거나 '오늘은 ㅇㅇ이랑 약속해서 우리는 다음에 놀자.' 하며 거절할 줄도 알아야 한다고 가르쳤습니다. 거절하지 않고 자꾸 마음에 응어리가 쌓이면 나중에 폭발하거나 더 서로 불편한 상황이 될 수 있으니 잘 거절하는 것도 서로를 위하는 것일 수 있다고 말이죠.

함께하면 에너지를 얻고 힘이 되는 사람이 있고, 나를 갉아 먹는 사람이 있습니다.

내 에너지를 소진되게 하는 사람과는 만남의 횟수를 줄여 거리를 두거나 끊어 낼 필요도 있습니다. 모두 애쓰며 관계를 잘 유지하기엔 너무 바쁘고 할 일이 많으니까요.

방학 동안 아이들과 종일 붙어 있으니, 아이들도 저도 지쳐서 자주 욱하는 감정이 올라옵니다.

그럴 때는 주말이라도 남편에게 아이들 좀 데리고 나가 달라고 부탁합니다.

아이와도 거리두기의 시간이 필요합니다.

품격있는 진짜어른

중학교 3학년 때 168cm로 키가 다 자랐고, 중 고등학교 때 20대 후반으로 보이는 대표적인 노안이었습니다. 엄마와 미용실에 갔더니 '직장동료예요?' 대학 가서도 중학교 친구를 만나면 '너는 몇 년간 얼굴이 그대로네!' 했습니다. 그때는 나도 다 컸다고 생각했습니다.

그런데 결혼해도 왠지 나는 아직 어른인 것 같지 않단 생각이 들었고 30살이 되어도 생각이 20대 초반에 머물러 있는 것 같았습니다. 아이를 낳고 키우며 나보다 남을 더 챙기고 아끼는 삶을 살면서 내가 좀 어른이 된 것 같았고, 간호사나 군인을 보면 아유~ 저 어린애한테 내 건강을 맡겨도 되나 싶은 걸 보니 이제는 진짜 나이가 들었네 싶습니다. 그리고 이제는 어떤 어른으로 나이 들면 좋을까 고민해 봅니다.

돈도 시간도 여유 있던 때, 로타리 클럽이라고 봉사단체에 가입해 3년 활동을 했었어요. 제일 막내였기에 저보다 20살은 더 많은 사람들도 가까이서 볼 기회였지요. 수많은 사람 중 저렇게 나이 들지 말아야지. 하는 사람도 있고, 나도 저런 어른이 되고 싶다는 생각이 드는 사람도 있었습니다.

남자 건 여자 건 돈이 많고 적음을 떠나 타인에 대한 존중과 배려가 몸에 밴 사람. 나에게 진심으로 안부를 묻고 의견을 묻고, 다른 사람의 의견을 경청하는 사람. 그리고 삶의 기준과 선을 명확히 세우고 자신의 선을 지키며, 남의 선을 넘지 않는 사람이었습니다. 그러기에 자신의 불편한 감정을 표출하는 일도 거의 없었습니다.

그리고 긍정적인 사람. 남 탓하거나 험담하지 않았고, 사람의 좋은 점을 더 보려 했으며, 안되는 이유보다 되는 이유를 더 찾는 사람이었습니다. 문제가 생기면 회피하지 않고 적극적으로 해결하며 책임을 다하는 사람.

자신이 가진 것 잘난 것을 내세우지 않고. 겸손한 사람. 기꺼이 마음 다해 남을 돕는 사람. 도와줄 수 있는 부분을 어떻게 든 찾아 도움을 주려고 하는. 가진 것에 감사하며 나눌 줄 아는 사람.

그런 사람 옆에 있으면 나도 뭔가 나눌 게 없을까 생각하게 되었고, 나보다 어린 친구를 대할 때 조심하며 마음을 다하려 애쓰게 되었고, 타인과 상황을 바라볼 때 좋은 면을 더 바라보게 되었습니다.

삶의 모든 경험과 시간은 의미 없는 게 없습니다.

의미 없어 보이고 힘들어 보였던 어느 때도 지나고 나면 분명 남기는 것이 있었고, 배움이 있었습니다.

퇴보하는 삶은 절대로 없음을.

품격 있는 진짜 어른이 되어 내가 아는 것과 가진 것을 나누며, 작지만, 세상에 한 줄기 빛 같은 존재가 되면 어떨까? 내 선의가 누군가에게 큰 도움이 될 수도 있지 않을까? 나도 세상을 긍정적으로 변화시키는데 약간 기여할 수도 있지 않을까? 생각해 봅니다.

아이 키운 내공으로
무슨 일이든 더 잘해 낼 거야

장마철인데 오랜만에 햇살이 눈 부신 날입니다.

창문과 서랍장을 모두 열어 환기하고 볕 좋은 날엔 이불 빨래해야지 하며 세탁기에 아이들 이불을 넣는데, 주부가 아니면 생각지 못할 화창한 날에 할 일이다 싶어 웃음이 납니다.

친구가 SNS에 글을 올렸습니다. 20대 시절 '이우환 작가' 님과 찍은 사진과 함께 20대 때는 학예사가 되어 미술관에서 일하는 게 꿈이었는데 지금 아이만 바라보고 육아하는 현실에 그때의 꿈과 너무 멀어진 삶에 관해 썼더라고요.

짧은 글에도 저와 같은 고민과 시간이 있음을 알 수 있었습니다.

출산? 육아! 세상 대부분의 여자가 다 하는 일인데 뭐. 나는 멋진 엄마가 될 거야 하고 생각했는데, TV에서 아이 키우며 깨끗한 집, 아이와 행복하게 놀러 다니는 모습 같은 단편적인 면만 보고 그게 다인 줄 착각하고 있었습니다.

이건 뭐. 샤워는커녕 화장실 문 열고 볼일 보고 밥은 서서 쑤셔 넣기 일쑤, 시도 때도 없는 모유 수유에 그냥 젖소가 된 것 같은. 아이와 외출이라도 하려 하면 기저귀에 여벌 옷에 짐은 또 어찌나 많은지. 식당에 가면 온 테이블과 바닥을 난장판으로 만들어서 기어다니며 바닥을 닦고 나와야 했고, 잠시도 눈을 뗄 수 없는 데다 밖에서 울며불며 생떼를 써 난감하기도 많이 했었죠.

평화로운 시간은 잠깐이고 정신없고 어지러운 퇴근 없는 육아 육아 육아.

새삼 세상 모든 엄마가 얼마나 대단하게 느껴지던지… 뭐든 해 보지 않고는 말할 수 없습니다.

*매일 아침 차려주던 엄마의 밥상.*

*매일 아침 다른 머리 스타일로 묶어주던 엄마의 손길.*

*주말이면 깨끗하게 씻어주던 실내화.*

*엉망진창 어질러 놓고 가면 정리되어 있던 이부자리와 책상.*

당연하고 별거아니라 생각했던 그 모든 것들이 당연하지가 않은 거예요.

그렇게 엄마의 수고를 알게 되고, 그럼에도 나의 부모님은 나에게 최선을 다하셨구나. 느꼈지요.

내가 살아왔던 삶의 방식을 모두 내려놓고 정신과 마음과 행동을 아이에게 맞추어 살아가는 것.

세상과 나는 너무 멀어져 도태된 것 같았고, 그 삶이 끝날 것 같지 않았어요.

한 친구는 제 아이들 2살, 3살 때 우리 집에 놀러 왔다가 종일 아이들 챙겨 먹이고 씻기고 놀아주고 앞으로, 뒤로 아이들 업어 겨우 재우곤 깰까 봐 배웅도 못 나간 제 하루를 보곤 자기는 절대 아기 안 낳을 거라고 다짐하더니. 39살, 얼마 전 출산을 했어요. 자기가 아이를 이렇게 늦게 낳은 데는 그날 우리 집 일상을 본 게 컸다고 하더라고요. 저도 그렇게 일찍 결혼을 안 했더라면, 주변에 육아하는 친구를 가까이서 봤더라면 아이를 낳지 않았을 수도 있었겠다 생각이 들었습니다.

그렇지만 지금 그때로 돌아갈 수 있다고 해도 아이 낳기를 선택할 건 분명합니다.

**아이의 천사 같은 웃음과 함께 내 생애 가장 많이 웃었던 나날.**

**그 웃음과 함께 내 마음속 아픔과 상처도 언제 그랬냐는 듯 치유되었고.**

**잘 보이려 애쓰지 않아도 누군가에게 최고의 존재가
될 수 있다는 거.**

**아이에게 무조건적으로 사랑받는 기쁨.**

아이가 다섯 살까지 평생 효도를 다 한다는 걸 지나고
난 지금은 알겠습니다.

육아가 언제 끝날까요? 아이가 대학교의 가면?

결혼을 하면?

다른 종류의 엄마의 의무가 끊임없이 주겠지요.

내가 엄마가 된 이상 이것이 평생 계속 이어질 거고, 이
제는 아이가 빠진 내 인생은 내가 아님을 압니다.

아이를 키우며 진짜 사랑과 배려를 배웠고, 참을인忍자
를 만 번은 새겨 보았고, 아이의 무한한 가능성을 보면서
나의 무한한 가능성에 대해서도 생각해 보았고, 아이를
통해 세상을 보는 눈이 달라졌으며, 아이와 함께 나도 성
장했습니다.

선배 엄마들이 말한 "그 시간 짧다. 금방 지나갈 거야."
말. 저도 그때는 그 삶에 갇혀 귓등으로 들었지만, 이제는

저도 친구에게 그 식상한 말을 하게 됩니다.

모든 걸 포기하며 아이를 잘 키운 내공으로 무슨 일을 하든 20대의 너보다 훨씬 잘 해낼 거라고 말해주고 싶습니다.

아이 키우며 멈춰 있었던 것 같은 시간이지만 어떤 시간보다 더 성장했습니다. 아이를 키우듯 나를 키워 봅니다.

100세 시대라 살아갈 날이 더 많이 남았으니까요!

같이 사는 친구, 남편.

어릴 적에 친구와 1시간 넘게 통화하곤 그래. 내일 만나서 이야기하자 하며 전화를 끊었습니다. 그때는 내 모든걸 공유하고 서로의 비밀을 아는 절친이 있어야 했습니다. 그렇게 영원할 줄 알았던 친구도 세월이 흘러 다른 환경에 놓이게 되니 멀어질 수밖에 없더라고요. 직장을 다니는 친구와 육아하는 나와는 전혀 다른 고민을 했고, 비슷한 또래의 아이를 키우더라도 육아 가치관이나 경제적 상황 등이 다르니 대화하면서도 공감되지 않는 경우도 많았습니다.

인간관계에도 유통기한이 있는 듯 많은 친구를 만났다 지나갔습니다.

너무 나를 드러내면 헤어질 어느 시점에 그게 약점 잡히기도 했고, 나도 친구의 속사정을 안답시고 조언하며 화살을 쏜 적도 있습니다. 그렇게 이제는 친하다는 기준이 얕아졌습니다.

예전처럼 모든 것을 공유하지 않아도 직장동료나 같은 헬스에 다니는 이와 친구가 되기도 하고, 같은 동네 아이친구 엄마와 친구가 되었습니다.

친구가 깊어 지려면 서로의 가치관과 삶의 방향성이 비

숫해야 합니다. 저는 초등학교 때는 공부는 최소로 하고 노는 시간, 심심한 시간을 많이 줘야 한다는 생각인데, 영어 수학은 놓치면 따라가기 힘드니 일찍부터 학원에 보내야 한다는 친구. 저는 규칙적이고 평범한 일상을 중요하게 생각하는 편인데, 어릴 때 여행 많이 다니고 추억을 만들어 주는 게 좋다는 친구. 당연히 서로 다름을 존중 하지만, 너무 다른 가치관을 가지고 있으면 오래가기는 어려웠습니다.

남편은 자신이 봤던 경세 유튜브를 저에게 공유해 줬습니다. 저는 육아 관련 유튜브 좋았던 것을 남편에게 공유했습니다.

물론 지겨워서 보다가 말거나, 너무 자주 보낸다며 보지 않을 때도 있었지만 그게 자연스레 대화하는 주제가 되었고 우리 아이들과 삶에 적용해 보기도 했더니 어느새 가치관까지 닮게 되었습니다.

남편과 제일 친한 친구가 되면 가면을 쓰지 않은 내 모습 그대로, 같은 목표를 향해 함께 꿈을 꾸고 응원하고 위로하며, 평생의 동반자로 함께 할 수 있습니다.

내가 일어설 수 있는 이유는
'가족의 믿음'

매주 보는 친정 부모님께도 속속히 모든 사정을 말할 수 없었던 시간.

유제품 배달일을 시작하며 힘든 마음 감추고 일의 장점을 부모님 앞에서 늘어놓는 나에게, 엄마는 늘 그랬듯 '그래 놀면 뭐 하니~ 새벽에 일하면 일을 집중적으로 할 수 있어서 시간활용도 좋고 괜찮아. 엄마도 새벽에 일하니 낮에 종일 메이는 일은 못 할 것 같아.

(콩나물 공장 운영으로 12시-1시에 일어나 쉬는 날 하루 없이 찬물에 손 담그며 수십 년 일해 오신 엄마의 말)

버럭 잘하시는 아버지 괜히 사위한테 화풀이하거나, 뭐라 하실 까 긴장했는데 아버지는 별말이 없으시고 그냥 듣고만 계셨습니다.

아버지도 회사 전무를 그만두고 콩나물 공장 배달일을 시작했을 때 되게 부끄러웠었다는 말씀을 하신 적이 있는데, 흔한 아르바이트도 한번 안 시키고 귀하게 키운 딸이 고생하는 것 같아 당연히 속상하셨을 텐데…

집안이 쫄딱 망했을 때 예고 갈 거라고, 서울에 대학입시 학원 갈 거라고 했을 때도, 제대로 된 취업도 안 하고 차비만 받으며 5년간 일한다고 쫓아다녔을 때도, 26살에 8살 많고 이룬 것 없는 남자 친구 데려왔을 때도 못 이기는 척 믿어 주셨구나.

그러고 보니 나는 부모님의 끊임없는 지지와 믿음으로 이렇게 어른이 되었구나. 싶었습니다. 그 복으로 "저는 아이들 미래보다 지영씨가 나중에는 어떤 멋진 사람이 되었을지, 더 궁금해요."라고, 말하는 인생 멘토.

나보다 더 나를 지지하는 남편도 곁에 있는 것 같습니다.

모든 것을 잃은 듯한 때, 제 뒤에는 항상 고생 속에서도 늘 명랑함으로 웃음을 잃지 않았던 엄마와, 많은 것을 등에 지고도 묵묵히 걸어 나가시는 아버지가 계셨고, 앞으로 남편도 함께 서 있을 겁니다.


나도 부모님께, 남편에게 그런 사람이 되길, 아이들에게 '믿음'이라는 최고의 응원을 해 줘야겠다고 다짐해 봅니다.

내가 물려받은 최고의 유산

친정엄마께서 캘리그라피를 배우신지 1년쯤 되셨고, 요즘은 어반스케치를 배우고 계세요. 너무 즐겁게 배우고 계시고 매일 방 한켠에 앉아 그림을 그리시거나 캘리그라피 글을 씁니다. "앞으로 살날이 얼마나 많은데 60살 부터 배워서 한 5년 더 배우고 매일 하면 초보 가르칠 수 있는 실력은 되지 않겠나?" 하시며 평생 처음으로 취미라는 것을 가지시고, 엄마를 위한 꿈을 꾸십니다.

제가 앞서 엄마로서의 여러 역할을 운운했지만, 우리 엄마에게 비교하면 새 발의 피도 안 되는 상황이에요.

22살에 결혼하셔서 신혼에도 줄줄이 시동생들 세 명 뒷바라지에, 시아버지 병시중을 10년 넘도록 하셨고, 30대 초반의 나이에 부식 가게 운영하며 오토바이 타고 쌀 배달을 하셨고, 지금도 수십 년 1시에 일어나셔서 콩나물 공장 일하시고, 할머니, 아버지, 남동생 각각의 입맛에 맞춰 매일 식사를 준비하십니다.

"우와 내 나이 때 엄마가 그랬다고? 정말 상상도 안 되는 데!" 하면 엄마는 늘 그때가 그렇게 힘들다고 느껴지진 않았어. 하십니다. 늘 긍정적인 면만 보시고 그렇게 생각하시고 어려운 일도 대수롭지 않게 해결하면 되지 뭐. 잘될 거야 하십니다.

그래서 자연스레 힘든 일이 생겼을 때도 '엄마라면 어떻게 했을까?' 하고 생각해 봅니다.

부모님 평생의 목표는 우리 집을 잘 일으켜 세우는 것. 본인의 삶보다 우리 가족. 자식 손주에게 도움 되고 싶어 하십니다.

오늘 오랜만에 그림을 그려 엄마께 문자를 보냈더니 엄마가 "오우~ 역시 잘 그렸어." 하고 답이 오십니다. 그 말을 듣고 보니, 내가 이만큼 그림을 그리게 된 데는.

그림 그리고 싶었던, 손재주 많았던 엄마의 꿈과 희망을 접고 내 꿈을 키워 주신 덕분이었네. 하는 생각이 들었습니다.


삶을 긍정적으로 바라보는 태도, 호기심이 많아 늘 새로운 것을 꿈꾸고 도전하는 태도, 모태 새벽형 인간. 근면·성실. 그런 부모님을 보고 자라 저에게도 깊숙이 박혀 있는 참 좋은 점입니다.

어렸을 때는 낮은 코, 사각턱, 욱하는 성격… 안 좋은 점만 골라 닮았지, 하며 불만이 많았는데, 나이가 들고 아이도 키워보니 이제 저도 철이 조금은 들었나 봅니다. 나의 모든 것이 엄마, 아버지의 것이 다 와 있습니다.

부모가 자식에게 물려줄 수 있는 최고의 유산은 돈보다 그런 삶을 대하는 태도 입니다.

저도 우리 부모님이 물려준 값진 유산을 아이들에게 물려줘야겠다 싶습니다.

그리고 이제는 엄마의 꿈을, 아버지의 꿈을 꾸시고 도전하시길 바랍니다.

그런 부모님을 보며 제가 또 배울 테니까요.

당연한 것은 아무것도 없다

어느 날 갑자기 팔이 너무 아파서 옷 입기가 힘이 듭니다. 자세가 바른편이 아니라 목 어깨 통증은 자주 있는데 왜 갑자기 팔이 이런지 모르겠습니다. 며칠 전 좀 무거운 걸 들었던 것 같기도 하고⋯. 병원에 갔더니 흔히 말하는 오십견이라고 합니다. 아직 30대인데 오십견이라니요!!

물리치료도 하는데 6개월이 지나도 여전히 불편합니다. 내 몸의 작은 근육이 좀 문제가 생긴 것뿐인데 계속된 불편함에 신경이 날카롭습니다.

잠자기 전에 누워서 장을 봅니다. 우리나라 배송시스템이 얼마나 빠른지 새벽에 일어나면 이미 물건이 도착해 있습니다. 정말 편리한 세상에 살고 있습니다.

새벽에 배달하면서 모두가 잠든 시간에도 일하시는 분들이 많음을 알게 되었습니다. 분주하게 움직이시는 택배기사 아저씨, 쓰레기수거 하시는 분, 비 오는 날에도 오토바이 타고 신문 배달하시는 분, 112신고에 바로 출동해주시는 경찰아저씨⋯⋯. 보이지 않아 잘 몰랐지만, 어떤 상황에도 자기 자리를 지키며 거기에 계시는 분들 덕분에 깨끗한 내 집 앞이, 안전한 우리 동네가 있고, 더운날 무거운 짐 들고 걸어오는 일도 없습니다.

장마 후 폭염특보가 내린 지 몇 일째, 웬만하면 에어컨을 안 켜는 편인데 정말 에어컨 없이는 못 살겠습니다. 그런데 에어컨을 아무리 틀어도 온도는 낮아지지 않고…. 결혼 10년쯤 되니 가전제품이 하나 둘 바꿀 때가 됐는데 하필 이때라니요! 샤워하고 나와도 땀나고, 또 못 참아 몸에 물을 끼얹었습니다. 다른 나라에선 더위로 사망하기도 한다는데 새삼 전기의 소중함에 대해서도 생각해 봅니다. 언제든 나오는 따뜻한 물과 더우면 선풍기든 에어컨이든 틀 수 있는 환경.

특별히 먹고 싶은 게 없을 만큼 먹고 싶은 음식은 언제든지 사 먹을 수 있고, 배달 앱으로 주문하면 금세 문 앞으로 배달이 되는, 늘 다이어트를 고민하고 영양과다가 문제인 나라에 사는데, 전 세계 인구 중 8억 명 이상이 영양부족 상태라는 믿어지지 않는 현실입니다.


이렇게 편리하고 안전한 대한민국에서 태어난 게 정말 감사하고, 내 몸과 우리 가족이 건강해서 다행이고, 바람만큼 넉넉하진 않지만 그래도 우리 아이들 먹고 싶은 거 사 줄 수 있고, 에너지가 넘쳐서 매일 싸우는 두 아들이 있고, 주말에는 계곡이라도 놀러 가 휴일을 보낼 수 있는 시간도 있고, 일할 수 있는 일터가 있고, 내가 무엇을 하든지 응원해 주는 가족과 매일 아침을 맞이할 수 있음이 감사합니다.

이 모든것이 절대 당연한 것이 아님을 마음 깊이 새겨 봅니다.

이 책을 시작할 수 있게 해주신 한정하작가님 감사드립니다. 매일 목소리 큰 엄마로 만들지만, 웃음과 영감을 주는 태현이 태완이에게 고맙고, 글이 막힐 때 마다 막힌 곳을 풀어 준 남편에게도 감사하고, 늘 한없는 응원과 지지를 해 주시는 부모님께도 감사드립니다.

서툴지만 끝까지 읽어주신 독자분께도 감사드립니다. 부족한 저도 해 낸 것처럼 여러분도 엄마가 아닌 온전히 '나'로 뭐든 시작하고 해 내어보시길 바랍니다.

아이 키우듯

# 오늘을 키우는 시간

**발 행** | 2024년 8월 2일
**저 자** | 이지영
**편집 및 디자인** | 이지영
**일러스트** | storyset

**펴낸이** | 한건희
**펴낸곳** | 주식회사 부크크
**출판사등록** | 2014.07.15.(제2014-16호)
**주 소** | 서울 금천구 가산디지털1로 119, SK트윈타워 A동 305호
**전 화** | 1670 - 8316
**이메일** | info@bookk.co.kr

**ISBN** | 979-11-410-9900-8

www.bookk.co.kr
ⓒ 이지영 2024